P9-CFF-956

COLLECTION FOLIO

Patrick Modiano

L'herbe
des nuits

Gallimard

© *Éditions Gallimard, 2012.*

Pour Orson

Pourtant je n'ai pas rêvé. Je me surprends quelquefois à dire cette phrase dans la rue, comme si j'entendais la voix d'un autre. Une voix blanche. Des noms me reviennent à l'esprit, certains visages, certains détails. Plus personne avec qui en parler. Il doit bien se trouver deux ou trois témoins encore vivants. Mais ils ont sans doute tout oublié. Et puis, on finit par se demander s'il y a eu vraiment des témoins.

Non, je n'ai pas rêvé. La preuve, c'est qu'il me reste un carnet noir rempli de notes. Dans ce brouillard, j'ai besoin de mots précis et je consulte le dictionnaire. Note : Courte indication que l'on écrit pour se rappeler quelque chose. Sur les pages du carnet se succèdent des noms, des numéros de téléphone, des dates de rendez-vous, et aussi des textes courts qui ont peut-être quelque chose à voir avec la littérature. Mais dans quelle catégorie les classer ? journal intime ? fragments de mémoire ? Et aussi des centaines de petites annonces recopiées et qui figuraient dans des journaux. Chiens perdus. Appartements meublés. Demandes et offres d'emploi. Voyantes.

Parmi ces quantités de notes, certaines ont une résonance plus forte que les autres. Surtout quand rien ne trouble le silence. Plus aucune sonnerie de téléphone depuis longtemps. Et personne ne frappera à la porte. Ils doivent croire que je suis mort. Vous êtes seul, attentif, comme si vous vouliez capter des signaux de morse que vous lance, de très loin, un correspondant inconnu. Bien sûr, de nombreux signaux sont brouillés, et vous avez beau tendre l'oreille ils se perdent pour toujours. Mais quelques noms se détachent avec netteté dans le silence et sur la page blanche...

Dannie, Paul Chastagnier, Aghamouri, Duwelz, Gérard Marciano, « Georges », l'Unic Hôtel, rue du Montparnasse... Si je me souviens bien, j'étais toujours sur le qui-vive dans ce quartier. L'autre jour, je l'ai traversé par hasard. J'ai éprouvé une drôle de sensation. Non pas que le temps avait passé mais qu'un autre moi-même, un jumeau, était là dans les parages, sans avoir vieilli, et continuait à vivre dans les moindres détails, et jusqu'à la fin des temps, ce que j'avais vécu ici pendant une période très courte.

À quoi tenait le malaise que j'avais ressenti autrefois ? Était-ce à cause de ces quelques rues à l'ombre d'une gare et d'un cimetière ? Elles me paraissaient brusquement anodines. Leurs façades avaient changé de couleur. Beaucoup plus claires. Rien de particulier. Une zone neutre. Était-il vraiment possible qu'un double que j'avais laissé là continue à répéter chacun de mes anciens gestes, à suivre mes anciens itinéraires pour l'éternité ? Non, il ne restait plus rien de nous par ici. Le temps avait fait table rase. Le quartier était neuf, assaini, comme s'il avait été reconstruit sur l'emplacement d'un îlot insalubre. Et si la plupart des immeubles étaient les mêmes, ils vous donnaient l'impression de vous trouver en présence d'un chien empaillé, un chien qui avait été le vôtre et que vous aviez aimé de son vivant.

Ce dimanche après-midi, au cours de ma promenade, j'essayais de me rappeler ce qui était écrit sur le carnet noir que je regrettais de n'avoir pas dans ma poche. Des heures de rendez-vous avec Dannie. Le numéro de téléphone de l'Unic Hôtel. Les noms de ceux que j'y rencontrais. Chastagnier, Duwelz, Gérard Marciano. Le numéro de téléphone d'Aghamouri au pavillon du Maroc de la Cité universitaire. De courtes descriptions de différents secteurs de ce quartier que je projetais d'intituler « L'arrière-Montparnasse », mais je devais découvrir trente ans plus tard que le titre avait déjà été utilisé par un certain Oser Warszawski.

Un dimanche de fin d'après-midi en octobre, mes pas m'avaient donc entraîné dans cette zone que j'aurais évitée un autre jour de la semaine. Non, il ne s'agissait vraiment pas d'un pèlerinage. Mais les dimanches, surtout en fin d'après-midi, et si vous êtes seul, ouvrent une brèche dans le temps. Il suffit de s'y glisser. Un chien empaillé que vous aviez aimé de son vivant. À l'instant où je passais devant le grand immeuble blanc et beige sale du 11, rue d'Odessa — je marchais sur le trottoir d'en face, celui de droite —, j'ai senti une sorte de déclic, ce léger vertige qui vous prend chaque fois justement qu'une brèche s'ouvre dans le temps. Je restais immobile à fixer les façades de l'immeuble qui entouraient la petite cour. C'était là que Paul Chastagnier garait toujours sa voiture, alors qu'il occupait une chambre rue du Montparnasse, à l'Unic Hôtel. Un soir, je lui avais demandé pourquoi il ne laissait pas cette voiture devant l'hôtel. Il avait eu un sourire gêné et m'avait répondu en haussant les épaules : « Par prudence... »

Une Lancia de couleur rouge. Elle risquait d'attirer l'attention. Mais alors, s'il voulait être invisible, quelle drôle d'idée d'avoir choisi une telle marque et une telle couleur... Puis il m'avait expliqué qu'un ami à lui habitait cet immeuble de la rue d'Odessa et qu'il lui prêtait souvent sa voiture. Oui, voilà pourquoi elle était garée là.

« Par prudence », disait-il. Je m'étais vite rendu compte que cet homme d'une quarantaine d'années, brun, toujours soigné dans des costumes gris et des manteaux bleu marine, n'exerçait pas un métier précis. Je l'entendais téléphoner à l'Unic Hôtel, mais le mur était trop épais pour que je suive la conversation. Seule la voix me parvenait, grave, parfois tranchante. De longs silences. Ce Chastagnier, je l'avais connu à l'Unic Hôtel en même temps que quelques personnes croisées dans le même établissement : Gérard Marciano, Duwelz, dont j'ai oublié le prénom... Leurs silhouettes sont devenues floues avec le temps, leurs voix, inaudibles. Paul Chastagnier se découpe avec plus de précision à cause des couleurs : cheveux très noirs, manteau bleu marine, voiture rouge. Je suppose qu'il a fait quelques années de prison comme Duwelz, comme Marciano. Il était le plus vieux et il a bien dû mourir depuis. Il se levait tard et il donnait ses rendez-vous plus loin, vers le sud, cet arrière-pays autour de l'ancienne gare de marchandises dont les lieux-dits m'étaient à moi aussi familiers : Falguière, Alleray, et même, un peu plus loin, jusqu'à la rue des Favorites... Des cafés déserts où il m'a emmené quelquefois et où il pensait sans doute que personne ne pourrait le repérer. Je n'ai jamais osé lui demander s'il était interdit de séjour bien que cette idée m'ait souvent traversé l'esprit. Mais alors pourquoi garait-il la voiture rouge devant ces cafés ? N'aurait-il pas été plus prudent pour lui d'y aller à pied, en toute discrétion ? Moi, à cette époque, je marchais toujours dans ce quartier que l'on commençait à détruire, le long de terrains vagues, de petits immeubles aux fenêtres murées, de tronçons de rues entre des piles de gravats, comme après un bombardement. Et cette voiture rouge garée là, son odeur de cuir, cette tache vive grâce à laquelle les souvenirs reviennent... Les souvenirs ? Non. Ce dimanche soir, je finissais par me persuader que le temps est immobile et que si je glissais vraiment dans la brèche je retrouverais tout, intact. Et d'abord cette voiture rouge. J'ai décidé de marcher jusqu'à la rue Vandamme. Il y avait là un café où m'avait entraîné Paul Chastagnier et où la conversation avait pris un tour plus personnel. J'avais même senti qu'il était au bord des confidences. Il m'avait proposé, à demi-mot, de « travailler » pour lui. J'étais resté évasif. Il n'avait pas insisté. J'étais très jeune mais très méfiant. Par la suite, j'étais retourné dans ce café avec Dannie.

Ce dimanche, il faisait presque nuit quand je suis arrivé avenue du Maine, et je longeais les grands immeubles neufs sur le côté des numéros pairs. Ils formaient une façade rectiligne. Pas une seule lumière aux fenêtres. Non, je n'avais pas rêvé. La rue Vandamme s'ouvrait sur l'avenue à peu près à cette hauteur, mais ce soir-là les façades étaient lisses, compactes, sans la moindre échappée. Il fallait bien que je me rende à l'évidence : la rue Vandamme n'existait plus.

J'ai franchi la porte vitrée de l'un de ces immeubles, à l'endroit approximatif où nous nous engagions dans la rue Vandamme. Une lumière au néon. Un long et large couloir bordé de parois de verre derrière lesquelles se succédaient des bureaux. Peut-être un tronçon de la rue Vandamme subsistait-il, encerclé par la masse des immeubles neufs. Cette pensée me causa un rire nerveux. Je continuais à suivre le couloir aux portes vitrées. Je n'en voyais pas la fin et je clignais des yeux à cause du néon. J'ai pensé que ce couloir empruntait tout simplement l'ancien tracé de la rue Vandamme. J'ai fermé les yeux. Le café était au bout de la rue, prolongée par une impasse qui butait sur le mur des ateliers du chemin de fer. Paul Chastagnier garait sa voiture rouge dans l'impasse, devant le mur noir. Un hôtel au-dessus du café, l'hôtel Perceval, à cause d'une rue de ce nom, effacée elle aussi sous les immeubles neufs. J'avais tout noté dans le carnet noir.

Vers la fin, Dannie ne se sentait plus très à l'aise à l'Unic — comme disait Chastagnier — et elle avait pris une chambre dans cet hôtel Perceval. Désormais elle voulait éviter les autres sans que je sache lequel en particulier : Chastagnier ? Duwelz ? Gérard Marciano ? Plus j'y réfléchis maintenant, plus il me semble qu'elle avait donné des signes d'inquiétude à partir du jour où j'avais remarqué la présence d'un homme dans le hall et derrière le comptoir de la réception, un homme dont Chastagnier m'avait dit qu'il était le gérant de l'Unic Hôtel et dont le nom figure sur mon carnet : Lakhdar, suivi d'un autre nom : Davin, celui-ci entre parenthèses.

*

Je l'avais connue à la cafétéria de la Cité universitaire où je venais souvent me réfugier. Elle occupait une chambre au pavillon des États-Unis, et je me demandais à quel titre, puisqu'elle n'était ni étudiante ni américaine. Elle n'y est pas restée longtemps après que nous avions fait connaissance. À peine une dizaine de jours. J'hésite à écrire en toutes lettres le nom de famille que j'avais noté sur le carnet noir, à notre première rencontre : Dannie R., pavillon des États-Unis, 15, boulevard Jourdan. Peut-être le porte-t-elle de nouveau aujourd'hui — après tant d'autres noms — et je ne veux pas attirer l'attention sur elle au cas où elle serait encore vivante quelque part. Et pourtant, si elle lisait ce nom imprimé, peut-être se souviendrait-elle de l'avoir porté à une certaine époque et aurais-je de ses nouvelles. Mais non, je ne me fais pas beaucoup d'illusions là-dessus.

Le jour de notre rencontre, j'avais écrit « Dany » sur le carnet. Et elle avait rétabli elle-même, avec mon stylo, l'orthographe exacte de son prénom : Dannie. Plus tard, j'ai découvert que ce prénom « Dannie » était le titre d'un poème d'un écrivain que j'admirais en ce temps-là et que je voyais quelquefois boulevard Saint-Germain sortir de l'hôtel Taranne. Il y a parfois d'étranges coïncidences.

Le dimanche soir où elle avait quitté le pavillon des États-Unis, elle m'avait demandé de venir la chercher à la Cité universitaire. Elle m'attendait devant l'entrée du pavillon avec deux sacs de voyage. Elle m'a dit qu'elle avait trouvé une chambre dans un hôtel, à Montparnasse. Je lui ai proposé d'y aller à pied. Les deux sacs ne pesaient pas bien lourd.

Nous avons pris l'avenue du Maine. Elle était déserte, comme l'autre soir, un dimanche aussi, à la même heure. C'était un ami marocain de la Cité universitaire qui lui avait indiqué l'hôtel, celui qu'elle m'avait présenté à la cafétéria au cours de notre première rencontre, un certain Aghamouri.

Nous nous sommes assis sur un banc à la hauteur de la rue qui longe le cimetière. Elle a fouillé dans ses deux sacs de voyage pour vérifier si elle n'avait pas oublié quelque chose. Puis nous avons continué notre chemin. Elle m'expliquait qu'Aghamouri avait une chambre dans cet hôtel parce que l'un des propriétaires était marocain. Mais alors pourquoi avait-il habité aussi la Cité universitaire ? Parce qu'il était étudiant. Il avait d'ailleurs un autre domicile à

Paris. Et elle aussi était-elle étudiante? Aghamouri l'aiderait à s'inscrire à la faculté de Censier. Elle n'avait pas l'air très convaincue et avait prononcé cette dernière phrase du bout des lèvres. Et pourtant, un soir, je m'en souviens, je l'ai accompagnée jusqu'à la faculté de Censier par le métro, une ligne directe de Duroc jusqu'à Monge. Il tombait une pluie fine, mais cela ne nous gênait pas. Aghamouri lui avait dit qu'il fallait suivre la rue Monge, et nous avions fini par atteindre notre but : une sorte d'esplanade, ou plutôt un terrain vague entouré de maisons basses à moitié détruites. Le sol était en terre battue, et nous devions éviter les flaques d'eau dans la pénombre. Tout au fond, un bâtiment moderne que l'on achevait certainement de construire puisqu'il portait encore des échafaudages... Aghamouri nous attendait à l'entrée, et sa silhouette était éclairée par la lumière du hall. Son regard me semblait moins inquiet que d'habitude, comme s'il était rassuré de se tenir là devant cette faculté de Censier malgré le terrain vague et la pluie. Tous ces détails me reviennent dans le désordre, par saccades, et souvent la lumière se brouille. Et cela contraste avec les notes précises qui figurent dans le carnet. Elles me sont utiles, ces notes, pour donner un peu de cohérence aux images qui tressautent au point que la pellicule du film risque de se casser. Curieusement, d'autres notes concernant des recherches que je faisais à la même époque au sujet d'événements que je n'avais pas vécus — ils remontent au XIXe et même au XVIIIe siècle — me paraissent plus limpides. Et les noms qui sont mêlés à ces événements lointains : la baronne Blanche, Tristan Corbière, Jeanne Duval, parmi d'autres, et aussi Marie-Anne Leroy, guillotinée le 26 juillet 1794 à l'âge de vingt et un ans, ont un son plus proche et plus familier à mes oreilles que les noms de mes contemporains.

Ce dimanche soir à notre arrivée à l'Unic Hôtel, Aghamouri attendait Dannie, assis dans le hall en compagnie de Duwelz et de Gérard Marciano. C'est ce soir-là que j'ai fait la connaissance des deux derniers. Ils ont voulu que nous visitions le jardin derrière l'hôtel où étaient disposées deux tables à parasol. « La fenêtre de ta chambre donne de ce côté », a dit Aghamouri, mais cette précision semblait laisser Dannie indifférente. Duwelz. Marciano. J'essaie de me concentrer pour leur accorder un semblant de réalité, je cherche ce qui les ferait revivre, là sous mes yeux, et grâce à quoi après tout ce temps je sentirais leur présence. Je ne sais pas, moi, un parfum... Duwelz affectait toujours un aspect soigné : moustache blonde, cravate, costume gris, et il sentait une eau de toilette dont j'ai retrouvé le nom, bien des années plus tard, grâce à un flacon oublié dans une chambre d'hôtel : *Pino silvestre*. Pendant quelques secondes, l'odeur du *Pino silvestre* m'avait évoqué une silhouette de dos qui descend la rue du Montparnasse, un blond à la démarche assez lourde : Duwelz. Puis, plus rien, comme dans ces rêves dont il ne reste qu'un vague reflet au réveil qui s'efface au cours de la journée. Gérard Marciano, lui, était brun, la peau blanche, d'assez petite taille, le regard toujours fixé sur vous, mais il ne vous voyait pas. J'ai mieux connu Aghamouri avec qui j'ai eu plusieurs fois rendez-vous, le soir, dans un café de la place Monge après ses cours à Censier. Chaque fois, j'avais l'impression qu'il voulait me confier quelque chose d'important, sinon il ne m'aurait pas demandé de le rejoindre ici, en tête à tête, loin des autres. Ce café était calme quand la nuit tombait en hiver, et nous y étions seuls à l'abri au fond de la salle. Un caniche noir appuyait son menton contre la banquette et nous observait en clignant des yeux. Au souvenir de certains instants de ma vie, des vers me remontent à la mémoire et souvent je cherche le nom de leurs auteurs. Le café de la place Monge le soir est associé pour moi au vers suivant : « Les griffes pointues d'un caniche frappant les dalles de la nuit »...

Nous marchions jusqu'à Montparnasse. Au cours de ces trajets, Aghamouri m'avait livré de rares détails le concernant. À la Cité universitaire, il venait d'être expulsé de sa chambre du pavillon du Maroc, mais je n'ai jamais su si c'était pour des raisons politiques ou pour un autre motif. Il habitait un petit appartement qu'on lui avait prêté dans le seizième arrondissement, près de la maison de la Radio. Mais il préférait sa chambre de l'Unic Hôtel qu'il avait obtenue grâce au gérant, « un ami marocain ». Pourquoi garder alors l'appartement du seizième arrondissement? « C'est ma femme qui habite là. Oui, je suis marié. » Et j'avais senti qu'il ne m'en dirait pas plus. D'ailleurs, il ne répondait jamais aux questions. Les confidences qu'il m'a faites — mais peut-on vraiment parler de confidences? —, c'était sur le chemin de la place Monge à Montparnasse, entre de longs silences, comme si la marche l'encourageait à parler.

Quelque chose m'intriguait. Était-il vraiment étudiant? Quand je lui avais demandé son âge, il m'avait répondu : trente ans. Puis il avait paru regretter de me l'avoir dit. Pouvait-on encore être étudiant à trente ans? Je n'osais pas lui poser la question de crainte de le blesser. Et Dannie? Pourquoi voulait-elle être étudiante elle aussi? Était-il aussi facile que cela de s'inscrire du jour au lendemain dans cette faculté de Censier? Quand je les observais, elle et lui, à l'Unic Hôtel, ils n'avaient vraiment pas l'air d'étudiants et, là-bas vers Monge, le bâtiment de la faculté, à moitié construit au fond du terrain vague, me semblait brusquement appartenir à une autre ville, un autre pays, une autre vie. Était-ce à cause de Paul Chastagnier, de Duwelz, de Marciano, et de ceux que j'apercevais au bureau de la réception de l'Unic Hôtel ? Mais je n'étais jamais à l'aise dans le quartier de Montparnasse. Non, vraiment, pas très gaies, ces rues. Dans mon souvenir, la pluie y tombe souvent, alors que d'autres quartiers de Paris, je les vois toujours en été quand j'y rêve. Je crois que Montparnasse s'était éteint depuis la guerre. Plus bas, sur le boulevard, *La Coupole* et *Le Select* brillaient encore de quelques feux, mais le quartier avait perdu son âme. Le talent et le cœur n'y étaient plus.

Un dimanche après-midi, j'étais seul avec Dannie, au bas de la rue d'Odessa. La pluie commençait à tomber et nous nous étions réfugiés dans le hall du cinéma Montparnasse. Nous nous étions assis tout au fond de la salle. C'était l'entracte et nous ignorions le titre du film. Ce cinéma immense et délabré m'avait causé le même malaise que les rues du quartier. Il y flottait une odeur d'ozone, comme lorsque vous passez sur une grille de métro. Dans les rangs du public, quelques permissionnaires. Ils prendraient, à la tombée de la nuit, les trains de Bretagne, vers Brest ou Lorient. Et des coins dérobés où se cachaient des couples de rencontre qui ne regarderaient pas le film. Pendant la séance, on entendrait leurs plaintes, leurs soupirs et sous eux le grincement de plus en plus fort des sièges... J'ai demandé à Dannie si elle comptait rester longtemps encore dans le quartier. Non. Pas longtemps. Elle aurait préféré habiter une grande chambre dans le seizième arrondissement. Là-bas, c'était calme et anonyme. Et personne ne pouvait plus vous retrouver. « Pourquoi ? Tu dois te cacher ? — Non. Pas du tout. Et toi, tu aimes ce quartier ? »

Apparemment, elle avait voulu éviter de répondre à une question embarrassante. Et moi, que pouvais-je lui répondre ? Que j'aime ou que je n'aime pas ce quartier n'avait aucune importance. Il me semble aujourd'hui que je vivais une autre vie à l'intérieur de ma vie quotidienne. Ou, plus exactement, que cette autre vie était reliée à celle assez terne de tous les jours et lui donnait une phosphorescence et un mystère qu'elle n'avait pas en réalité. Ainsi les lieux qui vous sont familiers et que vous revisitez en rêve bien des années plus tard prennent-ils un aspect étrange, comme cette morne rue d'Odessa et ce cinéma Montparnasse à l'odeur de métro.

Je l'ai raccompagnée ce dimanche-là jusqu'à l'Unic Hôtel. Elle avait rendez-vous avec Aghamouri. « Tu connais sa femme ? » lui ai-je demandé. Elle a paru surprise que je sois au courant de son existence. « Non, m'a-t-elle dit. Il ne la voit presque jamais. Ils sont plus ou moins séparés. » Je n'ai aucun mérite à reproduire cette phrase avec exactitude puisqu'elle figure au bas d'une page de mon carnet après le nom « Aghamouri ». Sur la même page, d'autres notes qui n'ont aucun rapport avec ce triste quartier du Montparnasse, Dannie, Paul Chastagnier, Aghamouri, mais se rapportent au poète Tristan Corbière et aussi à Jeanne Duval, la maîtresse de Baudelaire. J'avais découvert leurs adresses, puisqu'il est écrit : Corbière, 10, rue Frochot, Jeanne Duval, 17, rue Sauffroy vers 1878. Plus loin, des pages entières leur sont consacrées, ce qui tendrait à prouver qu'ils occupaient une place plus importante pour moi que la plupart des vivants que j'ai côtoyés à cette époque.

Ce soir-là, je l'ai laissée à l'entrée de l'hôtel. J'ai aperçu Aghamouri qui l'attendait debout au milieu du hall. Il portait un manteau beige. Cela aussi, je l'avais noté dans mon carnet, « Aghamouri : manteau beige ». Sans doute, pour avoir un point de repère plus tard — le plus de petits détails possible concernant cette courte et trouble période de ma vie. « Tu connais sa femme ? — Non, il ne la voit presque jamais. Ils sont plus ou moins séparés. » Des phrases que vous surprenez quand vous croisez deux personnes en conversation dans la rue. Et vous ne saurez jamais de qui il s'agissait. Un train traverse trop vite une gare pour que vous lisiez le nom de la ville sur le panneau. Alors, le front collé à la vitre, vous notez quelques détails : le passage d'un fleuve, le clocher d'un village, une vache noire rêvant sous un arbre, à l'écart du troupeau. Vous espérez qu'à la prochaine gare vous lirez un nom et saurez enfin dans quelle région vous êtes. Je n'ai jamais plus revu aucune des personnes dont les noms figurent sur les pages de ce carnet noir. Leur présence aura été fugitive, et même leurs noms je risquais de les oublier. De simples rencontres mais sans que l'on sache si c'est le hasard qui les provoque. Il existe une période de la vie pour cela, un carrefour où vous pouvez encore hésiter entre plusieurs chemins. Le temps des rencontres, comme il était écrit sur la couverture d'un livre que j'avais trouvé sur les quais. Justement, ce même dimanche soir où j'avais laissé Dannie avec Aghamouri, je marchais, je me demande bien pourquoi, le long du quai Saint-Michel. J'ai remonté le boulevard, aussi lugubre que Montparnasse, peut-être parce qu'il n'y avait pas la foule des jours de semaine et que les façades étaient éteintes. Tout là-haut, au débouché de la rue Monsieur-le-Prince, après les marches et la rampe de fer, une grande vitre éclairée, l'arrière d'un café dont la terrasse donnait sur les grilles du jardin du Luxembourg. Toute la salle du café était dans l'obscurité, sauf cette vitre derrière laquelle d'habitude se tenaient jusque très tard dans la nuit des consommateurs devant un zinc en arc de cercle. Cette nuit-là, parmi eux, deux personnes que j'ai reconnues au passage : Aghamouri, à cause de son manteau beige, debout, et, à côté de lui, Dannie, assise sur l'un des tabourets.

Je me suis rapproché. J'aurais pu pousser la porte vitrée et les rejoindre. Mais la crainte d'être un intrus m'a retenu. À cette époque, n'ai-je pas toujours été en retrait, dans la position du spectateur, je dirais même de celui que l'on appelait le « spectateur nocturne », cet écrivain du XVIIIe siècle que j'aimais beaucoup et dont le nom figure à plusieurs reprises accompagné de notes, sur les pages de mon carnet noir ? Paul Chastagnier, lorsque nous étions ensemble du côté de Falguière ou des Favorites, m'avait dit un jour : « C'est bizarre... vous écoutez les gens avec beaucoup d'attention... mais vous êtes ailleurs... » Derrière la vitre, sous la lumière trop vive du néon, la chevelure de Dannie n'était plus châtain clair, mais blonde, et sa peau encore plus pâle que d'habitude, laiteuse, avec ses taches de son. Elle était la seule personne assise sur un tabouret. Un groupe de trois ou quatre autres clients se tenaient derrière elle et Aghamouri, des verres à la main. Aghamouri se penchait vers elle et lui parlait à l'oreille. Il l'embrassait dans le cou. Elle riait et buvait une gorgée d'un alcool que j'avais reconnu à sa couleur et qu'elle commandait chaque fois que nous nous trouvions dans un café : du Cointreau.

Je me demandais si je lui dirais le lendemain : Je t'ai vue la nuit dernière avec Aghamouri au café Luxembourg. J'ignorais encore quels

étaient leurs liens exacts. En tout cas, ils n'occupaient pas la même chambre à l'Unic Hôtel.
J'avais essayé de comprendre ce qui unissait ce
petit groupe. Apparemment, Gérard Marciano
était l'ami d'Aghamouri depuis longtemps et
celui-ci l'avait présenté à Dannie quand tous
deux habitaient la Cité universitaire. Paul
Chastagnier et Marciano se tutoyaient, malgré
leur différence d'âge, et Duwelz, de même. Mais
ni Chastagnier ni Duwelz n'avaient rencontré
Dannie avant qu'elle habite à l'Unic Hôtel.
Enfin, Aghamouri entretenait des rapports assez
étroits avec le gérant de l'hôtel, le dénommé
Lakhdar, qui venait un jour sur deux dans le
bureau, derrière le comptoir de la réception.
Il était souvent accompagné d'un nommé
« Davin ». Ces deux-là semblaient connaître de
longue date Paul Chastagnier, Marciano
et Duwelz. Tout cela je l'avais noté dans le carnet noir, un après-midi que j'attendais Dannie,
un peu comme on fait des mots croisés ou des
croquis, pour passer le temps.

*

Plus tard, on m'a interrogé à leur sujet. J'avais
reçu une convocation d'un certain Langlais. J'ai
attendu longtemps dans un bureau d'un immeuble du quai de Gesvres, à dix heures du
matin. Par la fenêtre, je regardais le marché aux

fleurs et la façade noire de l'Hôtel-Dieu. Une matinée d'automne ensoleillée sur les quais. Langlais est entré dans le bureau, un homme châtain, de taille moyenne, qui m'a paru un peu sec malgré ses gros yeux bleus. Il ne m'a même pas dit bonjour et a commencé à me poser des questions avec une certaine sévérité. Je crois qu'à cause de mon calme, son ton à lui s'est adouci et qu'il a compris que je n'étais pas vraiment impliqué dans tout ça. Je me disais que là, dans son bureau, je me trouvais peut-être à l'emplacement exact où Gérard de Nerval s'était pendu. Si l'on descendait dans les caves de cet immeuble on découvrirait, au fond de l'une d'elles, un tronçon de la rue de la Vieille-Lanterne. Je n'ai pas pu répondre de manière très précise aux questions de ce Langlais. Il me citait les noms de Paul Chastagnier, Gérard Marciano, Duwelz, Aghamouri, et voulait que je lui indique quels étaient mes rapports avec eux. À ce moment-là, j'ai compris que non, décidément, ils n'auraient pas joué un rôle très important dans ma vie. Des comparses. Je pensais à Nerval et à la rue de la Vieille-Lanterne sur laquelle on avait construit l'immeuble où nous étions. Le savait-il ? J'ai failli le lui demander. Au cours de cet interrogatoire, il a mentionné à plusieurs reprises une certaine Mireille Sampierry qui « aurait fréquenté » l'Unic Hôtel, mais je ne la connaissais pas. « Vous êtes bien sûr de ne l'avoir jamais rencontrée ? » Ce nom ne m'évoquait rien. Il a dû se rendre compte que je ne mentais pas et il n'a plus insisté. J'ai noté « Mireille Sampierry » sur mon carnet ce soir-là et, au bas de la même page, j'ai écrit : « 14, quai de Gesvres. Langlais. Nerval. Rue de la Vieille-Lanterne. » J'étais étonné qu'il n'ait fait aucune allusion à Dannie. À croire qu'elle n'avait pas laissé de trace sur leurs fichiers. Selon l'expression courante, elle était passée entre les mailles du filet et s'était évanouie dans la nature. Tant mieux pour elle. La nuit où je l'avais surprise en compagnie d'Aghamouri au zinc du café Luxembourg, je finissais par ne plus distinguer son visage sous la lumière trop forte et trop blanche du néon. Elle n'était plus qu'une tache lumineuse, sans relief, comme sur une photo surexposée. Un blanc. Peut-être avait-elle échappé par ce même phénomène aux recherches de ce Langlais. Mais je m'étais trompé. Au cours du deuxième interrogatoire qu'il m'avait fait subir la semaine suivante, j'avais découvert qu'il en savait long sur elle.

Une nuit qu'elle habitait encore la Cité universitaire, je l'avais accompagnée jusqu'à la gare du Luxembourg. Elle ne voulait pas rentrer seule, là-bas au pavillon des États-Unis, et elle m'avait demandé de prendre le métro avec elle. Au moment où nous descendions l'escalier pour rejoindre le quai, la dernière rame venait de partir. Nous pouvions faire le chemin à pied, mais la perspective de suivre l'interminable rue de la Santé et de longer les murs de la prison puis de l'hôpital Sainte-Anne, à cette heure-là, m'a glacé le cœur. Elle m'a entraîné au débouché de la rue Monsieur-le-Prince et nous nous sommes retrouvés devant le zinc en arc de cercle, aux mêmes places qu'ils occupaient l'autre nuit, elle et Aghamouri. Elle était assise sur le tabouret, et moi, debout. Nous étions serrés l'un contre l'autre à cause des nombreux consommateurs qui se pressaient devant le zinc. La lumière était si vive que je clignais des yeux, et nous ne pouvions pas nous parler tant le brouhaha était fort autour de nous. Puis ils sont partis les uns après les autres. Tout au fond, il ne restait plus qu'un client, affalé sur le zinc, et l'on ne savait pas s'il était ivre ou simplement endormi. La lumière était toujours aussi blanche, aussi forte, mais j'avais l'impression que son champ s'était rétréci et qu'un seul projecteur était fixé sur nous. Quand nous sommes sortis à l'air libre, par contraste tout était plongé dans une obscurité de black-out, et j'étais soulagé comme un papillon qui échappe à l'attraction et à la brûlure de la lampe.

Il était environ deux ou trois heures du matin. Elle m'a dit que souvent elle manquait le dernier métro à la gare du Luxembourg et que c'était à cause de cela qu'elle avait repéré ce café qu'elle appelait « le 66 », le seul du quartier ouvert toute la nuit. Quelque temps après avoir été interrogé par ce Langlais, je marchais, très tard, vers le haut du boulevard Saint-Michel et j'avais vu de loin un panier à salade garé sur le trottoir et cachant la vitre trop éclairée du « 66 ». On y faisait monter les clients. Oui, c'était bien ce que j'avais ressenti devant ce zinc avec Dannie. Des papillons éblouis et englués dans la lumière, avant une rafle. Je crois même que j'avais prononcé le mot « rafle » à son oreille, et elle avait souri.

Il y avait ainsi, à cette époque, à Paris, la nuit, des points trop lumineux qui servaient de piège et je tâchais de les éviter. Quand j'y échouais, au milieu d'étranges consommateurs, j'étais sur le qui-vive et j'essayais même de repérer les sorties de secours. « Tu te crois à Pigalle », m'a-t-elle dit. Et j'étais étonné d'entendre le mot « Pigalle » prononcé dans sa bouche avec une certaine familiarité. Dehors, nous longions les grilles du jardin du Luxembourg. J'ai répété le mot « Pigalle » et j'ai éclaté de rire. Elle aussi. Tout était silencieux autour de nous. À travers les grilles nous parvenait le bruissement des arbres. La gare du Luxembourg était fermée, et il faudrait attendre jusqu'à six heures pour prendre le premier métro. Là-bas, on avait éteint la lumière du « 66 ». Nous pouvions rentrer à pied, et j'étais prêt à affronter avec elle la longue et sinistre rue de la Santé.

Sur le chemin, nous cherchions un raccourci et nous nous sommes égarés dans les petites rues autour du Val-de-Grâce. Le silence était encore plus profond, et nous entendions le bruit de nos pas. Je me suis demandé si nous n'étions pas loin de Paris, dans une ville de province : Angers, Vendôme, Saumur, ces noms de villes que je ne connaissais pas et dont les rues calmes ressemblaient à la rue du Val-de-Grâce, au bout de laquelle une grande grille protégeait un jardin.

Elle m'avait pris le bras. De loin, une lumière beaucoup moins forte que celle du « 66 » au rez-de-chaussée d'un immeuble.

Un hôtel. La porte vitrée était ouverte et la lumière venait du couloir au milieu duquel un chien dormait, le menton appuyé contre le dallage. Tout au fond, derrière le bureau de la réception, le veilleur de nuit, un homme chauve, feuilletait un magazine. Là, sur le trottoir, je ne me sentais plus le courage de longer encore le mur de la prison et de l'hôpital et de suivre cette rue de la Santé dont, la nuit, on ne voyait pas la fin.

Je ne sais pas qui, de nous deux, a entraîné l'autre. Dans le couloir, nous avons enjambé le chien sans le réveiller. La chambre 5 était libre. Je me souviens de ce chiffre 5, moi qui ai toujours oublié le numéro des chambres d'hôtel, la couleur de leurs murs, de leurs meubles et de leurs rideaux, comme s'il était préférable que ma vie de cette époque-là s'efface au fur et à mesure. Pourtant, les murs de la chambre 5 me sont restés en mémoire, les rideaux aussi : du papier peint à motifs bleu pâle, et ce genre de rideaux noirs dont j'ai appris plus tard qu'ils dataient de la guerre et ne laissaient filtrer aucune lumière à l'extérieur, selon les consignes de ce qu'on appelait « la Défense passive ».

Plus tard, dans la nuit, j'ai senti qu'elle voulait me confier quelque chose, mais qu'elle hésitait. Pourquoi la Cité universitaire, le pavillon des États-Unis, alors qu'elle n'était ni étudiante ni américaine ? Mais, après tout, les vraies rencontres sont celles de deux personnes qui ne savent rien l'une de l'autre, même la nuit, dans une chambre d'hôtel. « Tout à l'heure, ils étaient un peu bizarres, lui ai-je dit, les clients du « 66 ». Heureusement qu'il n'y a pas eu une rafle. » Oui, ces gens, autour de nous, qui parlaient trop fort sous cette lumière blanche, pourquoi avaient-ils échoué à cette heure tardive dans le provincial Quartier latin ? « Tu te poses trop de questions », m'a-t-elle dit à voix basse. Une horloge sonnait les quarts d'heure. Le chien a aboyé. De nouveau, j'avais l'impression d'être très loin de Paris. Il m'a même semblé entendre, juste avant que le jour se lève, un bruit de sabots qui s'éloignait. Saumur ? Bien des années plus tard, un après-midi que je marchais dans les parages du Val-de-Grâce, j'ai essayé de retrouver cet hôtel. Je n'avais noté ni le nom ni l'adresse sur le carnet noir, comme on évite d'écrire les détails trop intimes de notre vie, de crainte qu'une fois fixés sur le papier ils ne nous appartiennent plus.

Dans son bureau du quai de Gesvres, ce Langlais m'avait demandé : « Vous habitiez une chambre à l'Unic Hôtel ? » Il avait pris une voix distraite, comme s'il connaissait déjà la réponse et qu'il attendait de ma part une simple confirmation. « Non. — Et vous fréquentiez "le 66" ? » Cette fois-ci, il me fixait droit dans les yeux. J'étais étonné qu'il ait dit « le 66 ». J'avais cru jusque-là que c'était Dannie seule qui appelait ainsi cet endroit. Moi-même, il m'était arrivé de donner à des cafés d'autres noms que les leurs, des noms d'un Paris plus ancien, et de dire : « On se retrouve chez Tortoni », ou : « À neuf heures au Rocher de Cancale. »

« Le 66 ? » J'ai fait semblant de chercher dans ma mémoire. J'entendais de nouveau Dannie me dire de sa voix sourde : « Tu te crois à Pigalle. »

« "Le 66" à Pigalle ? ai-je dit à ce Langlais d'un air faussement pensif.

— Pas du tout... C'est un café du Quartier latin. »

Peut-être ne fallait-il pas jouer au plus malin.

« Ah! oui... J'ai dû y aller une ou deux fois...

— La nuit? »

J'ai hésité à lui répondre. Il aurait été plus prudent de lui dire : de jour, quand toute la salle était ouverte et que la plupart des clients se groupaient à la terrasse du côté des grilles du Luxembourg. De jour, un café qui ne se distinguait pas des autres. Mais pourquoi mentir?

« Oui. La nuit. »

Je me rappelais la salle plongée dans l'obscurité autour de nous et cette zone étroite de lumière, tout au fond, comme un refuge clandestin après l'heure de la fermeture. Et ce nom, « le 66 », l'un de ces noms qui circulent à voix basse, entre initiés...

« Vous étiez seul? »

— Oui. Seul. »

Il consultait une feuille sur le bureau où il me semblait voir une liste de noms. J'espérais que celui de Dannie n'y figurait pas.

« Et vous ne connaissiez personne parmi les habitués du "66"?

— Personne. »

Il fixait toujours son regard sur la feuille de papier. J'aurais voulu qu'il me cite les noms des « habitués du 66 » et qu'il m'explique qui étaient tous ces gens. Peut-être Dannie en avait-elle connu quelques-uns. Ou Aghamouri. Ni Gérard Marciano, ni Duwelz, ni Paul Chastagnier ne fréquentaient apparemment « le 66 ». Mais je n'étais sûr de rien.

« Ça doit être un café d'étudiants, comme tous les autres, dans le Quartier latin, ai-je dit.

— De jour, oui. Mais pas de nuit. »

Il avait pris un ton sec, presque menaçant.

« Vous savez », lui ai-je dit, et je m'efforçais d'être le plus doux, le plus conciliant possible, « je n'ai jamais été un "habitué de nuit du 66" ».

Il m'a considéré de ses gros yeux bleus, et son regard, lui, n'avait rien de menaçant, un regard las et plutôt bienveillant.

« En tout cas, vous n'êtes pas sur la liste. »

Vingt ans plus tard, dans le dossier qui m'est tombé entre les mains grâce à ce Langlais — il ne m'avait pas oublié ; il est ainsi des sentinelles qui se tiennent à chaque carrefour de votre vie — figurait la liste des « habitués du 66 » avec, en tête, un certain « Willy des Gobelins ». Je la recopierai quand j'aurai le temps. Et je recopierai aussi quelques pages de ce dossier qui complètent et recoupent les notes de mon ancien carnet noir. Je suis passé, pas plus tard qu'hier, devant « le 66 » pour voir si cette partie du café existait encore. J'ai poussé la porte vitrée, la même que celle que nous avions empruntée, Dannie et moi, et derrière laquelle je l'observais, assise au comptoir, en compagnie d'Aghamouri sous cette lumière trop vive et trop blanche. Je me suis assis devant le zinc.

Il était cinq heures de l'après-midi et les clients occupaient l'autre partie du café, celle qui donne sur les grilles du Luxembourg. Le garçon a paru étonné que je commande un Cointreau, mais je l'ai fait en souvenir de Dannie. Et pour le boire à la santé de ce « Willy des Gobelins », le premier de la liste et dont je ne savais rien.

« Vous restez toujours ouvert très tard ? » ai-je demandé au garçon.

Il a froncé les sourcils. Il ne semblait pas comprendre ma question. Un jeune homme d'environ vingt-cinq ans.

« Nous fermons chaque soir à neuf heures, monsieur.

— Ce café s'appelle bien "le 66" ?»

J'avais prononcé ces mots d'une voix d'outre-tombe. Il m'a fixé d'un regard inquiet.

« Pourquoi "le 66"? Il s'appelle "Le Luxembourg", monsieur. »

J'ai pensé à la liste des « habitués du 66 ». Oui, je la recopierai quand j'aurai le temps. Mais, hier après-midi, quelques noms de cette liste me revenaient en mémoire : Willy des Gobelins, Simone Langelé, Orfanoudakis, le docteur Lucaszek dit « Docteur Jean », Jacqueline Giloupe et une certaine Mireille Sampierry que Langlais m'avait citée, la première fois.

Derrière moi, dans la salle et sur la terrasse, des touristes et des étudiants. À la table la plus proche, un groupe dont j'écoutais distraitement la conversation était composé d'élèves de l'école des Mines. Ils fêtaient quelque chose, sans doute le début des grandes vacances. Ils se photographiaient avec leurs *iPhone* dans la lumière terne, neutre du présent. Un banal après-midi. Et pourtant, c'était là, au même endroit, en pleine nuit, que les néons me faisaient cligner des yeux et que nous pouvions à peine nous entendre, Dannie et moi, à cause du brouhaha et des propos à jamais perdus que se tenaient entre eux Willy des Gobelins et toutes ces ombres qui nous entouraient.

*

Si j'en crois mes souvenirs, « le 66 » ne se distinguait pas vraiment de l'Unic Hôtel ni des autres lieux de Paris que j'ai connus à cette époque. Partout, il planait une menace dans l'air qui donnait une couleur particulière à la vie. Et cela, même quand j'étais en dehors de Paris. Un jour, Dannie m'a demandé de l'accompagner dans une maison de campagne. Il est écrit sur l'une des pages de mon carnet noir : « Maison de campagne. Avec Dannie. » Rien de plus. Sur la page précédente, je lis : « Dannie, avenue Victor-Hugo, immeuble à double issue. Rendez-vous à 19 heures devant l'autre sortie de l'immeuble, rue Léonard-de-Vinci. »

Je l'avais attendue plusieurs fois là-bas, toujours à la même heure devant le même porche.

À l'époque, j'avais fait un lien entre cette personne à laquelle elle « rendait souvent visite » — un terme désuet qui m'avait surpris dans sa bouche — et la maison de campagne. Oui, si j'ai bonne mémoire, elle m'avait dit que cette « maison de campagne » appartenait à « la personne » de l'avenue Victor-Hugo.

« Maison de campagne avec Dannie. » Je n'avais pas écrit le nom du village. En feuilletant le carnet noir, j'éprouve deux sentiments contradictoires. Si ces pages manquent de détails précis, je me dis qu'à cette époque-là je ne m'étonnais de rien. L'insouciance de la jeunesse ? Mais je relis certaines phrases, certains noms, certaines indications et il me semble que je lançais des appels de morse pour plus tard. Oui, c'était comme si je voulais laisser, noir sur blanc, des indices qui me permettraient, dans un avenir lointain, d'éclaircir ce que j'avais vécu sur le moment sans bien le comprendre. Des appels de morse tapés à l'aveuglette, dans la plus grande confusion. Et il faudrait attendre des années et des années avant que je puisse les déchiffrer.

Sur la page du carnet où il est noté à l'encre noire « Maison de campagne avec Dannie » figure une liste de villages écrite au stylo bille bleu, il y a une dizaine d'années quand je m'étais mis en tête de retrouver cette « maison de campagne ». Était-elle aux environs de Paris ou, plus loin, vers la Sologne ? J'ai oublié pourquoi j'avais choisi ces villages plutôt que d'autres. Je crois que la sonorité de leurs noms me rappelait l'un d'eux où nous nous étions arrêtés pour prendre de l'essence. Saint-Léger-des-Aubées. Vaucourtois. Dormelles-sur-l'Orvanne. Ormoy-la-Rivière. Lorrez-le-Bocage. Chevry-en-Sereine. Boisemont. Achères-la-Forêt. La Selle-en-Hermoy. Saint-Vincent-des-Bois.

J'avais acheté une carte Michelin que j'ai gardée et qui porte cette indication : 150 km autour de Paris. Nord-Sud. Puis une carte d'état-major de la Sologne. J'ai passé quelques après-midi penché sur elles à tenter de retrouver notre itinéraire dans une voiture que Paul Chastagnier nous avait prêtée — non pas sa Lancia rouge, mais une voiture plus discrète, de couleur grise. Nous quittions Paris par la porte de Saint-Cloud, le tunnel et l'autoroute. Pourquoi ce chemin vers l'ouest alors que la maison de campagne était quelque part au sud, du côté de la Sologne ?

Un peu plus tard, au bas d'une page du carnet où j'avais accumulé des notes sur le poète Tristan Corbière, j'ai découvert qu'il était écrit en caractères minuscules : FEUILLEUSE, suivi d'un numéro de téléphone. Le nom de ce village risquait de demeurer pour toujours invisible parmi les notes à l'écriture serrée concernant Corbière. Feuilleuse. 437.41.10. Mais oui, une fois, j'avais rejoint Dannie dans la numéro de téléphone. J'avais pris un car porte de Saint-Cloud. Le car s'était arrêté dans une petite ville. D'un café, j'avais téléphoné à Dannie. Elle était venue me chercher en voiture — toujours cette voiture grise que Paul Chastagnier nous avait prêtée. La « maison de campagne » était à une vingtaine de kilomètres de là. J'ai cherché où se trouvait Feuilleuse : non pas en Sologne, mais dans l'Eure-et-Loir.

437.41.10. Les sonneries se succédaient sans que personne ne réponde, et j'ai été surpris qu'après tant d'années ce numéro soit encore attribué. Un soir où j'avais fait de nouveau 437.41.10, j'ai entendu des grésillements et des voix étouffées. Peut-être s'agissait-il de l'une de ces lignes abandonnées depuis longtemps. Leurs numéros n'étaient connus que par certains initiés qui s'en servaient pour correspondre dans la clandestinité. J'ai fini par discerner une voix de femme qui répétait toujours la même phrase sans que je puisse capter les mots — un appel monotone comme sur un disque rayé. La voix de l'horloge parlante ? Ou la voix de Dannie qui m'appelait d'un autre temps et de cette maison de campagne perdue ?

J'ai consulté un ancien annuaire de l'Eure-et-Loir, que j'avais découvert au marché aux puces de Saint-Ouen, dans un dépôt, parmi des centaines d'autres. Il n'y avait qu'une dizaine d'abonnés à Feuilleuse, et le numéro était bien là, un chiffre secret qui vous ouvrait « Les Portes là, un chiffre secret qui vous ouvrait « Les Portes du Passé ». C'était le titre d'un roman policier que j'avais choisi dans la bibliothèque de la maison de campagne et que nous avions lu, Dannie et moi. Feuilleuse (E.-et-L.). Canton de Senonches. Mme Dorme. La Barberie. 437.41.10. Qui était cette Mme Dorme? Dannie avait-elle prononcé ce nom devant moi? Peut-être était-elle encore vivante. Il suffisait d'entrer en contact avec elle. Elle saurait ce qu'était devenue Dannie.

J'ai appelé les renseignements. J'ai demandé le nouveau numéro de téléphone de La Barberie, à Feuilleuse en Eure-et-Loir. Et, comme l'autre jour quand je parlais au garçon du café Luxembourg, ma voix était une voix d'outre-tombe. « Feuilleuse, avec deux *l*, monsieur? » J'ai raccroché. À quoi bon? Après tout ce temps, le nom de Mme Dorme avait certainement disparu de l'annuaire. La maison avait dû connaître une succession d'habitants qui en avaient modifié l'aspect au point que je ne l'aurais pas reconnue. J'ai étalé sur la table la carte des environs de Paris et j'ai été déçu de me séparer de celle de la Sologne qui m'avait occupé tout un après-midi. La sonorité caressante du mot « Sologne » m'avait induit en erreur. Et je me souvenais aussi des étangs, pas très loin de la maison, qui me faisaient penser à ce pays. Mais peu importe les cartes Michelin. Pour moi, cette maison resterait toujours située dans une enclave imaginaire de la Sologne.

Hier soir, j'ai suivi de l'index, sur la carte, le trajet de Paris à Feuilleuse. Je remontais le cours du temps. Le présent n'avait plus aucune importance, avec ces jours identiques à eux-mêmes dans leur lumière morne, une lumière qui doit être celle de la vieillesse et où vous avez l'impression de vous survivre. Je me disais que j'allais retrouver la rangée d'arbres, les barrières blanches. Le chien marcherait lentement vers moi, le long de l'allée. J'avais souvent pensé qu'à part nous il était le seul habitant de la maison et, même, son propriétaire. Chaque fois que nous rentrions à Paris, je disais à Dannie : « Il faudrait l'emmener avec nous, ce chien. » Il se postait devant la voiture grise pour assister à notre départ. Et puis, quand nous étions montés dans la voiture et que les portières avaient claqué, il se dirigeait vers la cabane qui servait de réserve à bois et où il avait l'habitude de dormir en notre absence. Et, chaque fois, je regrettais de retourner à Paris. J'avais demandé à Dannie s'il était possible que nous nous réfugiions un certain temps dans cette maison. Ce serait possible, m'a-t-elle dit, mais pas tout de suite. Je m'étais trompé ou j'avais mal compris, il n'y avait pas de lien entre la « personne » de l'avenue Victor-Hugo à qui elle rendait souvent visite et cette maison. La propriétaire — oui, il s'agissait d'une femme — était pour le moment à l'étranger. Elle m'a expliqué qu'elle avait fait sa connaissance l'année précédente quand elle cherchait du travail. Mais elle ne précisait pas quel genre de « travail ». Ni Aghamouri ni ceux que j'appelais « la bande de Montparnasse » — Paul Chastagnier, Duwelz, Gérard Marciano et d'autres silhouettes que je voyais souvent dans le hall de l'Unic Hôtel — ne connaissaient l'existence de cette maison. « Tant mieux », ai-je dit. Elle a souri. Apparemment, elle était de mon avis. Un soir, nous avions allumé un feu de bois et nous étions assis sur le grand canapé devant la cheminée, le chien couché à nos pieds, et elle m'a dit qu'elle regrettait d'avoir emprunté la voiture grise à Paul Chastagnier. Et elle a même ajouté qu'elle ne voulait plus rien avoir à faire avec ces « toquards ». J'ai été étonné qu'elle emploie ce terme, elle dont les propos étaient toujours mesurés et qui gardait souvent le silence. Encore une fois, je n'ai pas eu la curiosité de lui demander ce qui la liait exactement à ces « toquards » et pourquoi elle avait pris une chambre à l'Unic Hôtel sous l'influence d'Aghamouri. À vrai dire, dans le calme de cette maison protégée par le rideau d'arbres et les barrières blanches, je n'avais plus envie de me poser de questions.

Pourtant, un après-midi, nous revenions d'une promenade sur le chemin du Moulin d'Étrelles — les noms que l'on croit avoir oubliés, ou que l'on ne prononce pas de peur d'être ému, surgissent dans notre mémoire, et ce n'est pas si douloureux que cela —, et le chien marchait devant nous, sous un soleil d'automne. À peine avions-nous refermé sur nous la porte de la maison que nous avons entendu un bruit de moteur. Il se rapprochait. Dannie m'a pris la main et m'a entraîné au premier étage. Dans la chambre, elle m'a fait signe de m'asseoir et elle s'est postée au bord de l'une des fenêtres. Le moteur s'est arrêté. Une portière a claqué. Un bruit de pas dans la partie de l'allée qui était recouverte de graviers. « C'est qui ? » ai-je demandé. Elle ne m'a pas répondu. Je me suis glissé jusqu'à l'autre fenêtre. Une grosse voiture noire de marque américaine. Il me semblait que quelqu'un était resté au volant. Un coup de sonnette. Puis deux. Puis trois. En bas, le chien a aboyé. Dannie était figée et, d'une main, serrait le rideau. Une voix d'homme : « Il y a quelqu'un ? Il y a quelqu'un ? Vous m'entendez ? » Une voix forte avec un très léger accent belge, suisse, ou bien cet accent international de ceux dont on ignore quelle a été au juste leur langue maternelle, et qui ne le savent pas eux-mêmes. « Il y a quelqu'un ? »

Le chien aboyait de plus en plus fort. Il était resté dans l'entrée et, si la porte était mal fermée, il l'ouvrirait d'un coup de patte. J'ai chuchoté : « Tu ne crois pas que ce type peut entrer dans la maison ? » Elle m'a fait non, de la tête. Elle s'est assise sur le rebord du lit, les bras croisés. Son visage exprimait plus l'ennui que la crainte, elle était là, immobile, tête baissée. Et moi, je pensais que le type allait attendre au salon et qu'il nous était difficile de quitter la maison pour l'éviter. Mais je gardais mon sang-froid. Je m'étais souvent trouvé dans ce genre de situation, fuyant les gens que je connaissais, car j'éprouvais une fatigue soudaine à leur parler. Je changeais de trottoir à leur approche ou bien je me réfugiais dans l'entrée d'un immeuble en attendant leur passage. Il m'était même arrivé d'enjamber une fenêtre de rez-de-chaussée pour échapper à quelqu'un qui me rendait visite à l'improviste. Je connaissais beaucoup d'immeubles à double issue, dont une liste figure dans mon carnet noir.

Pas d'autres coups de sonnette. Le chien s'était tu. De la fenêtre, je voyais l'homme se diriger vers la voiture garée à hauteur du perron. Un brun assez grand, vêtu d'une pelisse. Il se penchait vers la vitre baissée et parlait à la personne qui se tenait au volant, mais dont je ne distinguais pas le visage. Puis il montait dans la voiture, et celle-ci s'éloignait le long de l'allée.

Le soir, elle m'a dit qu'il valait mieux ne pas allumer la lumière. Elle a tiré les rideaux dans le salon et la pièce où nous prenions nos repas. Nous nous sommes éclairés à la bougie. « Tu crois qu'ils vont revenir ? » lui ai-je demandé. Elle a haussé les épaules. Elle m'a dit qu'il s'agissait certainement d'amis de la propriétaire. Elle préférait éviter les contacts avec eux, sinon elle les aurait « sur le dos ». De temps en temps, une expression familière comme celle-ci tranchait sur son langage très châtié. Là dans la pénombre, avec les rideaux tirés, je me disais que nous nous étions introduits dans cette maison par effraction. Et cela me paraissait presque normal, tant j'avais l'habitude de vivre sans le moindre sentiment de légitimité, un sentiment qu'éprouvent ceux qui ont eu de bons et honnêtes parents et appartiennent à un milieu social bien précis. À la lueur de la bougie, nous parlions à voix basse pour qu'on ne nous entende pas du dehors, et elle non plus ne s'étonnait pas de cette situation. Sans savoir grand-chose sur son compte, j'étais sûr que nous avions quelques points communs et que nous étions du même monde. Mais j'aurais été embarrassé de préciser lequel.

Pendant deux ou trois soirs, nous n'avons pas allumé l'électricité. À demi-mot, elle m'a expliqué qu'elle n'avait pas tout à fait le « droit » d'être dans cette maison. Elle en avait simplement conservé une clé depuis l'année dernière. Et elle n'avait pas averti la « propriétaire » qu'elle comptait passer quelque temps ici. Il faudrait qu'elle s'explique avec le gardien, qui s'occupait aussi du parc et que l'on rencontrerait d'un jour à l'autre. Non, la maison n'était pas abandonnée, comme je l'aurais cru. Les jours ont passé. Le gardien venait le matin, et notre présence ne l'étonnait pas. Un petit homme aux cheveux gris qui portait un pantalon en velours côtelé et une veste de chasse. Elle ne lui a donné aucune explication, et lui ne nous a posé aucune question. Il nous a même dit que si nous avions besoin de quelque chose, il pouvait aller nous le chercher. Il nous a emmenés plusieurs fois, avec le chien, faire les courses à Châteauneuf-en-Thymerais. Ou alors, plus près, à Maillebois et à Dampierre-sur-Blévy. Ces noms dormaient dans ma mémoire, mais ils ne se sont pas effacés. Et, de même, a resurgi hier soir un souvenir enfoui. Quelques jours avant que nous partions pour Feuilleuse, je l'avais accompagnée jusqu'à l'immeuble de l'avenue Victor-Hugo. Cette fois-ci elle m'a demandé de ne pas l'attendre de l'autre côté, devant le porche de la rue Léonard-de-Vinci, mais dans un café un peu plus loin sur la place. Elle ne savait pas à quelle heure elle sortirait. Je l'ai attendue environ une heure. Quand elle m'a rejoint elle était toute pâle. Elle a commandé un Cointreau qu'elle a avalé cul sec pour se donner ce qu'elle appelait « un coup de fouet ». Et elle a réglé les consommations avec un billet de cinq cents francs qu'elle a tiré d'une liasse entourée d'un ruban de papier rouge. Cette liasse, elle ne l'avait pas à l'aller dans le métro, puisque cet après-midi-là il nous restait juste assez de monnaie pour prendre deux tickets de seconde classe.

La Barberie. Le Moulin d'Étrelles. La Framboisière. Les mots resurgissent, intacts, comme les corps de ces deux fiancés que l'on avait retrouvés en montagne, pris dans la glace, et qui n'avaient pas vieilli depuis des centaines d'années. La Barberie. C'était le nom de la maison dont je vois encore la façade blanche, symétrique, entre les rangées d'arbres. Il y a trois ans, dans un train, je lisais distraitement les annonces d'un journal en remarquant qu'elles étaient beaucoup moins nombreuses qu'à l'époque où je les recopiais sur les pages de mon carnet noir. Plus d'offres ni de demandes d'emploi. Plus de chiens perdus. Plus de voyantes. Aucun de ces messages que se lançaient des inconnus : « Martine. Téléphone-nous. Yvon, Juanita et moi sommes très inquiets. » Une annonce avait attiré mon attention : « À vendre. Demeure ancienne. Eure-et-Loir. Dans hameau entre Châteauneuf et Brezolles. Parc. Étangs. Écuries. Tél. Agence Paccardy. 02.07.33.71.22. » J'avais cru reconnaître la maison. J'ai recopié l'annonce au bas de la dernière page de mon ancien carnet noir, en guise de conclusion. Pourtant, les écuries ne m'évoquaient rien. Il y avait bien des étangs — ou plutôt des mares dans lesquelles le chien se baignait au cours de nos promenades. La Barberie n'était pas seulement le nom de la maison, mais celui du hameau dont la maison devait être jadis le château. Tout autour, des pans de mur à moitié écroulés sous la végétation, sans doute d'anciens corps de bâtiments et les ruines d'une chapelle et même, pourquoi pas, celles d'une écurie. Un après-midi que nous nous promenions avec le chien — c'était grâce à lui que nous avions découvert ces ruines, il nous guidait au fur et à mesure vers elles, comme un chien truffier —, nous faisions des projets pour tout remettre en état comme si nous étions les propriétaires. Peut-être Dannie n'osait-elle pas me le dire, mais cette maison avait vraiment appartenu, il y a plusieurs siècles, à ses ancêtres, les seigneurs de La Barberie. Et elle voulait depuis longtemps y revenir en cachette pour la visiter. C'est du moins ce que je me plaisais à imaginer.

J'ai oublié à La Barberie une centaine de pages d'un manuscrit que j'écrivais d'après les notes prises dans mon carnet noir. Ou plutôt, j'avais laissé le manuscrit dans le salon où je travaillais, pensant que nous reviendrions la semaine suivante. Mais nous n'avons jamais pu revenir, si bien que nous avons abandonné là-bas pour toujours le chien et le manuscrit.

Au cours de toutes ces années, j'ai pensé à plusieurs reprises que j'aurais pu récupérer ce manuscrit, comme on retrouve un souvenir — l'un de ces objets liés à un moment de votre vie : fleur séchée, trèfle à quatre feuilles. Mais je ne savais plus où était la maison de campagne. Et je ressentais une paresse et une certaine appréhension à feuilleter l'ancien carnet noir où d'ailleurs j'ai mis longtemps à découvrir le nom du village et le numéro de téléphone, tant ils étaient écrits en caractères minuscules.

Aujourd'hui, je n'ai plus peur de ce carnet noir. Il m'aide à me pencher sur le passé et cette expression me fait sourire. C'était le titre d'un roman : *Un homme se penche sur son passé* que j'avais découvert dans la bibliothèque de la maison — quelques rayonnages de livres, à côté de l'une des fenêtres du salon. Le passé? Mais non, il ne s'agit pas du passé, mais des épisodes d'une vie rêvée, intemporelle, que j'arrache, page à page, à la morne vie courante pour lui donner un peu d'ombre et de lumière. Cet après-midi, nous sommes au présent, il pleut, les gens et les choses sont noyés dans la grisaille, et j'attends avec impatience la nuit où tout se découpera de manière nette, grâce aux contrastes justement de l'ombre et de la lumière.

L'autre nuit, je traversais Paris en voiture et j'étais ému par ces lumières et ces ombres, par ces différentes sortes de réverbères ou de lampadaires dont j'avais le sentiment, le long d'une avenue ou au coin d'une rue, qu'ils me lançaient des signaux. C'était le même sentiment que celui que vous éprouvez si vous contemplez longtemps une fenêtre éclairée : un sentiment à la fois de présence et d'absence. Derrière la vitre, la chambre est vide, mais quelqu'un a laissé la lampe allumée. Il n'y a jamais eu pour moi ni présent ni passé. Tout se confond, comme dans cette chambre vide où brille une lampe, toutes les nuits. Je rêve souvent que je retrouve le manuscrit. J'entre dans le salon au dallage noir et blanc et je fouille les tiroirs, au-dessous des rayonnages de livres. Ou bien, un mystérieux correspondant, dont je ne parviens pas à déchiffrer le nom derrière l'enveloppe après le mot « expéditeur », me l'envoie par courrier. Et le cachet de la poste indique l'année où nous allions, Dannie et moi, dans cette maison de campagne. Mais je ne m'étonne pas que le paquet ait mis si longtemps à me parvenir. Décidément, il n'y a ni passé ni présent.

Grâce aux notes du carnet noir, je me souviens des quelques chapitres de ce manuscrit consacrés à la baronne Blanche, à Marie-Anne Leroy, guillotinée le 26 juillet 1794 à vingt et un ans, à l'hôtel Radziwill pendant la Révolution, à Jeanne Duval, à Tristan Corbière et ses amis, Rodolphe de Battine et Herminie Cucchiani... Aucune de ces pages ne concernait le XXᵉ siècle où je vivais. Pourtant, si je pouvais les relire, à travers elles ressusciteraient les couleurs exactes et l'odeur des nuits et des jours au cours desquels je les ai écrites. Si j'en juge par les notes du carnet noir, l'hôtel Radziwill de 1791 n'était pas si différent de l'Unic Hôtel de la rue du Montparnasse : la même ambiance louche. Et maintenant que j'y pense, Dannie n'avait-elle pas des points communs avec la baronne Blanche ? J'avais eu beaucoup de mal à suivre le parcours de cette femme. On perd souvent sa trace bien qu'elle apparaisse dans les Mémoires de Casanova que je lisais alors et dans quelques rapports des inspecteurs de police de Louis XV. Et ceux-ci avaient-ils vraiment changé depuis le XVIIIᵉ siècle ? Un jour, Duwelz et Gérard Marciano m'avaient confié à voix basse que l'Unic Hôtel était à la fois surveillé et protégé par un inspecteur de la brigade mondaine. Lui aussi écrivait certainement des rapports. Et, plus de vingt ans après, dans le dossier que m'avait donné ce Langlais — j'étais vraiment surpris qu'il ne m'ait pas oublié au cours de ces années,

« mais non, me disait-il avec un sourire, je vous ai suivi "de loin" » —, figurait parmi les autres documents un rapport au sujet de Dannie, rédigé avec la même précision que ceux d'il y a deux siècles concernant la baronne Blanche.

Après tout, je ne regrette pas la perte de ce manuscrit. S'il n'avait pas disparu, je crois que je n'aurais plus envie d'écrire aujourd'hui. Le temps est aboli et tout recommence : comme autrefois, avec le même genre de stylo et de la même écriture, je remplis des pages en consultant de nouveau les notes de mon ancien carnet noir. Il m'aura fallu presque une vie entière pour revenir au point de départ.

La nuit dernière, j'ai encore rêvé que j'allais à la poste et que je me présentais au guichet avec un avis à mon nom. En échange, on me tendait un paquet dont je savais d'avance ce qu'il contenait : le manuscrit oublié à La Barberie, le siècle dernier. Cette fois-ci, je pouvais lire le nom de l'expéditeur : Mme Dorme. La Barberie. Feuilleuse. Eure-et-Loir. Et le cachet de la poste était de l'année 1966. Dans la rue, j'ouvrais le paquet, c'était bien le manuscrit. J'avais oublié qu'à l'époque je me servais des feuilles quadrillées que l'on arrache au fur et à mesure de ces blocs de couleur orange et de marque Rhodia. L'encre était bleu floride, cela aussi je l'avais oublié. Quatre-vingt-dix-neuf pages, dont la dernière inachevée. Une écriture serrée, avec beaucoup de ratures.

Je marchais droit devant moi, le manuscrit serré contre mon bras. J'avais peur de le perdre. Une fin d'après-midi d'été. Je suivais la rue de la Convention en direction de la façade noire et des grilles de l'hôpital Boucicaut.

Au réveil, j'ai compris que la poste où je cherchais le paquet dans mon rêve était la même que celle où j'accompagnais souvent Dannie. Elle y prenait son courrier. Je lui avais demandé pourquoi elle se le faisait envoyer poste restante, rue de la Convention. Elle m'avait expliqué qu'elle avait habité quelque temps ce quartier et que, depuis, elle s'était trouvée « sans domicile fixe ».

Elle ne recevait pas beaucoup de courrier. Chaque fois, une seule lettre. Nous nous arrêtions dans un café, plus bas, au coin de la rue de la Convention et de l'avenue Félix-Faure, juste en face de la bouche du métro. Elle ouvrait la lettre et la lisait devant moi. Et puis elle l'enfonçait dans la poche de son manteau. Elle m'a dit la première fois que nous étions dans ce café : « un parent qui m'écrit de province ».

Elle paraissait regretter de ne plus habiter ce quartier. D'après ce que j'avais cru comprendre — mais parfois elle se contredisait et ne semblait pas avoir vraiment le sens de ce qu'on appelle la chronologie —, c'était le premier endroit où elle avait vécu à son arrivée à Paris. Pas très longtemps. Quelques mois. J'ai tout de suite senti une certaine réticence à me dire de quelle province, ou de quel pays, elle venait exactement. Un jour, elle m'a dit : « Quand j'ai débarqué à Paris à la gare de Lyon... », et cette phrase avait dû me frapper pour que je la note dans mon carnet noir. Il était rare qu'elle me donne une indication aussi précise la concernant. C'était un soir que nous étions allés chercher son courrier rue de la Convention, beaucoup plus tard que d'habitude. Au moment où nous arrivions devant la poste, il faisait déjà nuit et c'était presque l'heure de la fermeture. Nous nous étions retrouvés dans le café. Le garçon qui la connaissait certainement depuis qu'elle avait habité le quartier lui avait servi, sans qu'elle le demande, un verre de Cointreau. Elle avait lu la lettre et l'avait fourrée dans sa poche.

« Quand j'ai débarqué à Paris à la gare de Lyon... » Et elle m'a expliqué que ce jour-là elle avait pris le métro. Après de multiples changements, elle était descendue ici, à la station Boucicaut. Et elle me désignait, derrière la vitre du café, la bouche du métro. Elle s'était d'ailleurs trompée dans les changements et avait d'abord échoué à Michel-Ange-Auteuil. Je la laissais parler, connaissant la manière dont elle éludait une question trop précise : elle changeait de conversation, comme si elle pensait à autre chose, l'air de n'avoir pas entendu son interlocuteur. Pourtant, je lui ai dit : « Personne n'est venu te chercher ce jour-là à la gare de

Lyon ? — Non. Personne. » On lui avait prêté un petit appartement, tout près d'ici, avenue Félix-Faure. Elle y était restée quelques mois. C'était avant la Cité universitaire. Je baissais la tête. Un seul mot, un regard trop insistant, risquait de la faire taire. « Tout à l'heure, je te montrerai l'immeuble où j'habitais. » J'étais étonné de cette proposition, et surtout de sa voix triste, comme si elle s'en voulait d'avoir quitté cet endroit. Brusquement, elle était perdue dans ses pensées. Oui, elle me donnait l'impression à ce moment-là de quelqu'un qui aurait bien aimé revenir sur ses pas après s'être rendu compte qu'il s'était engagé dans un mauvais chemin. Elle a mis la lettre dans sa poche. Au fond, le seul lien qu'elle avait gardé avec ce quartier, c'était le bureau de la poste restante.

Nous avons marché ce soir-là le long de la rue de la Convention, en direction de la Seine. Par la suite, deux ou trois fois, nous avons suivi le même chemin quand elle avait rendez-vous sur la rive droite, avenue Victor-Hugo, et que dans le même après-midi je l'avais d'abord accompagnée à la poste pour qu'elle cherche sa lettre habituelle. Au passage, elle m'a montré l'église Saint-Christophe-de-Javel où elle allait régulièrement, m'a-t-elle dit, allumer un cierge, non pas qu'elle croyait vraiment en Dieu mais plutôt par superstition. C'était au début de son arrivée à Paris. À cause de cela, j'ai toujours éprouvé une tendresse particulière pour cette église en brique, et encore aujourd'hui j'ai envie de m'y rendre et d'y allumer moi aussi un cierge. Mais à quoi bon ?

Ce soir-là, au bord de la Seine, nous n'avons pas pris le métro à la station Javel comme nous le faisions pour aller sur la rive droite. Nous avons fait demi-tour et remonté la rue de la Convention. Elle tenait beaucoup à me montrer l'immeuble où elle avait habité. À la hauteur du café, nous avons tourné dans l'avenue en suivant le trottoir de droite. Quand nous sommes arrivés à proximité de l'immeuble, elle m'a dit : « Je vais te montrer l'appartement... J'ai gardé la clé. » Elle avait sans doute prémédité cette visite, puisqu'elle avait la clé sur elle. Elle m'a dit aussi, après avoir jeté un regard sur la fenêtre obscure de la loge : « La concierge s'absente toujours à cette heure-là, mais ne fais pas de bruit dans l'escalier. » Elle n'a pas allumé la minuterie. On y voyait à peu près grâce à une vague lueur de veilleuse au rez-de-chaussée. Elle s'appuyait à mon bras, nous montions serrés l'un contre l'autre, et je pensais à une expression qui me donnait envie de rire : « À pas de loup. » Elle a ouvert la porte dans l'obscurité, puis l'a refermée doucement derrière nous. Elle cherchait à tâtons l'interrupteur, et une lumière jaune est tombée du plafonnier du vestibule. Elle m'a prévenu que désormais nous devions parler à voix basse et ne pas allumer d'autres lumières. Tout de suite, à droite, la porte entrouverte d'une chambre dont elle m'a dit que c'était la sienne. Elle m'a entraîné dans le couloir, devant nous, qu'éclairait la lumière du vestibule. À gauche, une pièce meublée d'une table et d'un buffet. La salle à manger ? À droite, le « salon », si l'on en jugeait par le canapé et la petite armoire vitrée qui contenait des figurines en ivoire. Comme les rideaux étaient tirés, elle a allumé une lampe sur un guéridon. C'était la même lumière jaune, voilée, que celle du plafonnier. Tout au fond, une chambre avec un grand lit à barreaux de cuivre et un papier peint à motifs bleu ciel. Quelques livres étaient empilés sur l'une des tables de nuit. J'ai craint brusquement d'entendre la porte d'entrée claquer et que la personne qui habitait ici nous surprenne. Elle ouvrait les tiroirs des tables de nuit les uns après les autres et les fouillait. Au fur et à mesure, elle en tirait quelques papiers qu'elle enfonçait dans la poche de son manteau. Et moi, je restais debout, raidi, à la regarder, attendant le claquement de la porte. Elle ouvrait l'un des battants de l'armoire à glace, en face du lit, mais les rayonnages étaient vides. Elle le refermait. « Tu ne crois pas que quelqu'un peut venir ? » lui ai-je dit à voix basse. Elle a haussé les épaules. Elle regardait les titres des livres, sur la table de nuit. Elle en a pris un, à couverture rouge, et elle l'a enfoncé lui aussi dans la poche de son manteau. Elle devait connaître la personne qui habitait ici, puisque la clé de l'appartement était toujours la même. Elle a éteint la lampe de la table de nuit et nous avons quitté la chambre. Tout au fond, la lumière jaune du plafonnier et la lampe du salon qui était restée allumée accentuaient encore le côté vieillot de ce petit appartement, avec le buffet de bois sombre, les figurines d'ivoire dans leur vitrine, les tapis usés. « Tu connais les gens qui habitent ici ? » lui ai-je demandé. Elle ne m'a pas répondu. Ça ne pouvait pas être ses parents, puisqu'elle était arrivée un jour de province ou de l'étranger à la gare de Lyon. Une personne qui vivait seule et lui avait loué une chambre de son appartement ?

Elle me guidait vers cette chambre, là, à gauche, avant le vestibule. Elle n'a pas allumé la lumière. Elle a laissé la porte grande ouverte. On y voyait assez grâce au plafonnier du vestibule. Un lit beaucoup moins grand que celui de la chambre du fond, au sommier nu. Les rideaux étaient tirés, les mêmes rideaux noirs que dans l'hôtel où nous avions échoué du côté du Val-de-Grâce. Contre le mur de gauche, à l'opposé du lit, une table à tréteaux sur laquelle se trouvaient un pick-up enveloppé d'une gaine de cuir et deux ou trois disques trente-trois tours. Elle a essuyé d'un revers de manche la poussière des pochettes. Elle m'a dit : « Attends-moi un instant. » Je me suis assis sur le sommier. À son retour, elle avait à la main un cabas dans lequel elle a rangé le pick-up et les disques. Elle s'est assise à côté de moi sur le sommier et elle paraissait réfléchir, comme si elle avait peur d'oublier quelque chose. « C'est dommage, m'a-t-elle dit à voix haute, que nous ne puissions pas rester dans cette chambre. » Elle a souri d'un sourire un peu crispé. Sa voix avait une drôle de résonance dans cet appartement vide. Nous avons fermé la porte de la chambre derrière nous. Je portais le cabas qui contenait le pick-up et les disques. Elle a éteint la lumière du vestibule. Après avoir ouvert la porte d'entrée, elle m'a dit : « La concierge doit être de retour. Il faut que nous passions le plus vite possible devant la loge. » J'avais peur de trébucher dans la pénombre de l'escalier, ce cabas à la main. Je descendais les marches devant elle. La minuterie s'est allumée, nous étions un moment immobiles sur le palier du premier étage. Une porte a claqué. Elle m'a chuchoté que c'était la porte de la loge de la concierge. Nous descendions de nouveau l'escalier sous une lumière vive qui contrastait avec celle, voilée, de l'appartement. Au rez-de-chaus-sée, la porte vitrée de la concierge était éclairée. Appuyer sur le bouton qui déclencherait l'ouverture de la porte cochère. Et si celle-ci restait bloquée ? Impossible de dissimuler ce cabas dont j'avais l'impression qu'il pesait très lourd et qu'il me donnait l'aspect d'un cambrioleur. La porte bloquée, la concierge qui téléphone à police secours, le panier à salade où nous montons, elle et moi. Mais oui, c'est plus fort que soi, on se sent toujours coupable lorsque de nobles et honnêtes parents ne nous ont pas persuadés dans notre enfance de notre bon droit et même de notre nette supériorité, en n'importe quelle circonstance de la vie. Elle a appuyé sur le bouton et ouvert la porte cochère. Dans la rue, je ne pouvais pas m'empêcher de marcher vite, et elle marchait du même pas que le mien. Peut-être craignait-elle de croiser la personne qui habitait l'appartement.

Quand nous sommes arrivés rue de la Convention, j'ai cru que nous allions nous engouffrer dans la bouche du métro, mais elle m'a entraîné dans le café où nous nous rendions d'habitude après la poste restante. Aucun client, à cette heure-là. Nous nous sommes assis à une table, tout au fond. Le garçon lui a servi un Cointreau, et je me demandais si c'était prudent de nous faire remarquer ici après notre visite clandestine dans l'appartement. J'avais dissimulé le cabas sous la table. Elle avait sorti le livre et les papiers des poches de son manteau. Plus tard, elle m'a dit qu'elle était contente d'avoir récupéré ce livre qu'elle gardait depuis très longtemps et qu'on lui avait offert dans son enfance. Elle avait failli le perdre, à plusieurs reprises, et chaque fois elle le retrouvait, comme ces objets fidèles qui ne veulent pas vous quitter. C'était *Service de la reine* d'Anthony Hope, dans une vieille collection à couverture rouge abîmée. Parmi les papiers qu'elle examinait, quelques

lettres, un vieux passeport, des cartes de visite...
Il était neuf heures du soir, mais le garçon et
celui qui était son patron et qui téléphonait, là-
bas derrière le zinc, semblaient avoir oublié
notre présence. « On a laissé la lumière allumée
dans le salon », m'a-t-elle dit brusquement.
Et plus que de l'inquiétude, cette constatation
lui causait une tristesse ou un regret, comme si
un geste aussi banal que celui qui consiste à retourner dans son appartement pour y éteindre
la lumière lui était interdit. « Je savais bien que
j'avais oublié quelque chose... j'aurais dû regarder s'il ne restait pas des vêtements à moi dans
le placard de ma chambre... » Je lui ai proposé,
si elle me confiait la clé, de remonter dans l'appartement pour éteindre la lumière du salon et
lui rapporter ses vêtements, mais je n'avais peut-
être pas besoin de la clé, il suffisait que je sonne
à la porte. La personne qui habitait l'appartement, si elle était de retour, m'ouvrirait et je lui
expliquerais que je venais de sa part. Je lui avais
dit cela comme si la chose allait de soi, en espérant qu'elle me donnerait plus d'explications.
J'avais fini par comprendre qu'il ne fallait pas
lui poser de questions directes. « Mais non, c'est
impossible, m'a-t-elle dit d'une voix très calme.
Ils doivent s'imaginer que je suis morte...
— Morte ? — Oui... enfin, disparue... » Elle m'a
souri pour atténuer la gravité avec laquelle elle
avait prononcé ces mots. Je lui ai fait remarquer
que de toute manière « ils » s'apercevraient que

quelqu'un avait allumé la lampe dans le salon, et pris les papiers, le livre, le pick-up et les disques... Elle a haussé les épaules. « Ils penseront que c'est un fantôme. » Elle a eu un bref éclat de rire. Après ce flottement et cette tristesse qui m'avaient étonné chez elle, elle paraissait détendue. « C'est une vieille dame à laquelle je louais une chambre, m'a-t-elle dit. Et elle n'a pas dû comprendre que je parte du jour au lendemain sans l'avertir. Mais je préfère trancher net. Je n'aime pas les adieux. » Je me suis demandé si c'était la vérité ou si elle voulait me rassurer et éviter d'autres questions. Pourquoi, s'il s'agissait d'une « vieille dame », avait-elle dit d'abord « ils » ? Peu importe. Là, dans ce café, je n'éprouvais pas vraiment le besoin de lui poser des questions. Plutôt que de toujours soumettre les autres à un interrogatoire, il vaut mieux les prendre en silence tels qu'ils sont. Et puis, j'avais peut-être le vague pressentiment que je me les poserais plus tard, ces questions. En effet, trois ou quatre ans après, j'étais un soir dans une voiture au rond-point Mirabeau et je voyais s'ouvrir devant moi la rue de la Convention. J'ai eu l'illusion qu'il suffisait de sortir de cette voiture, de l'abandonner en plein embouteillage et de m'engager à pied dans la rue. Je serais enfin à l'air libre, en état d'apesanteur. Je marcherais d'un pas léger sur le trottoir de droite. Au passage, j'irais allumer un cierge dans l'église Saint-Christophe-de-Javel. Et je me retrouverais un peu plus haut entre le café et la bouche du métro. Le garçon ne serait pas surpris de me revoir et, sans que je lui demande rien, il apporterait deux Cointreau dont il disposerait les verres l'un en face de l'autre. Je sonnerais à la porte de l'appartement pour récupérer ses vêtements. Le problème, c'est que j'ignorais le numéro exact de l'immeuble et qu'à cet endroit-là de l'avenue Félix-Faure les façades et les porches se ressemblaient trop pour que je reconnaisse ceux qui étaient les bons. Ce même soir, j'ai cru entendre sa voix légèrement enrouée me dire : « Une vieille dame à laquelle je louais une chambre », et cette voix me semblait si proche... Une vieille dame... J'ai consulté l'annuaire par rues pour essayer de savoir quel était le numéro. Je me souvenais que nous étions passés devant un hôtel et une grande vitrine où j'avais été surpris de voir des rangées de téléphones qui luisaient dans la pénombre. Un après-midi qu'elle passait poste restante, elle m'avait donné rendez-vous dans le café et j'avais fait quelques pas le long de l'avenue Félix-Faure vers l'immeuble où nous étions entrés comme des cambrioleurs, l'autre soir. Des parents attendaient sur le trottoir l'heure de la sortie d'une école de filles. L'annuaire par rues confirmait bien mes souvenirs. Les Téléphones Burgunder. L'hôtel Aviation : c'était avant l'immeuble, ça j'en étais sûr. Mais l'école de filles, au numéro 56 ? Avant ou après ? En tout cas, cet immeuble précédait le croisement de l'avenue et de la rue Duranton. Je voulais vérifier sur place. Mais à quoi bon? Toutes ces façades se ressemblaient trop. « Une vieille dame à laquelle je louais une chambre... » Dans l'annuaire, il y avait bien, au numéro 62, une Mme Baulé.

Elle m'avait tendu le livre à couverture rouge, *Service de la reine* d'Anthony Hope, pour que je le range dans le cabas avec le pick-up et les disques. Je lui ai demandé si elle l'avait lu. Oui, une première fois, dans son enfance, jusqu'au bout, sans y rien comprendre. Par la suite, elle en lisait un chapitre au hasard. Il était près de neuf heures du soir. Le garçon nous a dit que le café allait fermer. Nous nous sommes retrouvés dehors sous la pluie. Je portais le cabas, et l'une des poches de son manteau était gonflée à cause de tous les papiers qu'elle y avait mis. Nous avons attendu longtemps la rame du métro et, encore plus longtemps, au changement de La Motte-Picquet. À cette heure-là, le wagon était vide. Elle fouillait dans sa poche et triait parmi les autres papiers ce que je croyais être des cartes de visite. Comme elle s'était rendu compte que je l'observais avec une certaine curiosité, elle m'a dit en souriant : « Je te montrerai tout ça... Tu verras... Ce n'est pas très intéressant... » La perspective de rentrer dans sa chambre à Montparnasse ne semblait pas l'enthousiasmer. C'est ce soir-là dans le métro qu'elle a fait allusion pour la première fois à la maison de campagne où nous pourrions aller, mais je ne devais pas en parler aux autres. Les autres, c'était Aghamouri et ceux qu'il fréquentait : Duwelz, Marciano, Chastagnier... Je lui ai demandé si Aghamouri savait qu'elle avait habité dans l'appartement de l'avenue Félix-Faure. Mais non, il l'ignorait. Elle ne l'avait connu qu'après, à la Cité universitaire. Et il ignorait aussi l'existence de cette maison de campagne qu'elle venait d'évoquer devant moi. Une maison de campagne à une centaine de kilomètres de Paris, m'avait-elle dit. Non, Aghamouri ni personne d'autre ne l'avait jamais accompagnée poste restante pour qu'elle prenne son courrier. « Alors, je suis le seul à connaître tes secrets ? » lui ai-je dit. Nous longions le couloir sans fin de la station Montparnasse et nous étions seuls sur le tapis roulant. Elle m'a pris le bras et elle a appuyé la tête contre mon épaule. « J'espère que tu sais garder les secrets. » Nous avons marché sur le boulevard jusqu'au *Dôme*, puis fait un détour en longeant les murs du cimetière. Elle cherchait à gagner du temps pour ne pas croiser dans le hall de l'hôtel Aghamouri et les autres. C'était surtout Aghamouri qu'elle voulait éviter. J'étais tout près de lui demander pourquoi elle avait des comptes à lui rendre, mais après réflexion cela m'a semblé inutile. Je crois qu'en ce temps-là j'avais déjà compris que personne ne répond jamais aux questions. « Il faudrait attendre qu'ils éteignent la lumière du hall pour

rentrer, lui ai-je dit sur un ton un peu désin-
volte. Comme tout à l'heure, pour monter dans
l'appartement... Mais nous risquons d'être repé-
rés par le veilleur de nuit... » À mesure que
nous nous rapprochions de l'hôtel, je devinais
chez elle une certaine appréhension. Pourvu
qu'il n'y ait personne dans le hall, pensais-je.
Elle finissait par me communiquer son inquiétude. J'entendais déjà Paul Chastagnier me dire,
de sa voix métallique : « Mais qu'est-ce que vous
transportez dans ce cabas ? » Elle a hésité à s'engager dans la rue de l'hôtel. Il était presque
onze heures du soir. « On attend encore un
peu ? » m'a-t-elle dit. Nous nous sommes assis
sur un banc du terre-plein, boulevard Edgar-
Quinet. J'avais posé le cabas à côté de moi.
« C'est vraiment idiot d'avoir laissé tout à
l'heure la lumière dans le salon », m'a-t-elle dit.
J'ai été surpris qu'elle y attache tant d'importance. Mais maintenant, après toutes ces années,
je comprends mieux la tristesse subite qui avait
assombri son regard. Moi aussi, j'éprouve une
drôle de sensation à la pensée de ces lampes
que nous avons oublié d'éteindre dans des endroits où nous ne sommes jamais revenus... Ce
n'était pas notre faute. Il fallait chaque fois partir vite et sur la pointe des pieds. Je suis sûr que
dans la maison de campagne nous avons laissé
quelque part une lumière allumée. Et si j'étais
le seul responsable de cette négligence ou de
cet oubli ? Aujourd'hui, j'ai la conviction qu'il

ne s'agissait ni d'oubli ni de négligence, mais qu'au moment de partir c'était moi délibérément qui allumais une lampe. Peut-être par superstition, pour conjurer le mauvais sort et surtout pour qu'il reste une trace de nous, un signal qui indiquait que nous n'étions pas vraiment absents et que nous reviendrions un jour ou l'autre.

« Ils sont tous dans le hall », m'a-t-elle chuchoté à l'oreille. Elle avait décidé de me précéder au moment où nous arrivions à proximité de l'hôtel et de voir à travers la vitre si le hall était vide et le passage libre. Elle ne voulait pas que le cabas attire l'attention sur nous. Moi aussi, ce cabas me gênait, comme s'il était la preuve que nous venions de commettre une mauvaise action, et, cette gêne, elle m'étonne maintenant. Pourquoi ce perpétuel sentiment d'incertitude et de culpabilité ? Coupable de quoi, au juste ? J'ai regardé à mon tour derrière la vitre. Ils étaient assis dans les fauteuils du hall, Aghamouri sur l'accoudoir de celui où avait pris place Marciano, les autres, Paul Chastagnier, Duwelz et l'homme qu'ils appelaient simplement « Georges », occupant chacun le leur, de vieux fauteuils de cuir marron. On aurait dit qu'ils tenaient un conseil de guerre. Oui, coupables de quoi ? Je me le demande. D'ailleurs, ce n'était pas ce genre de personnes qui méritaient de nous donner des leçons de morale. J'ai pris Dannie par le bras et je l'ai entraînée dans l'entrée de l'hôtel. C'est « Georges » qui nous a vus le premier, cet homme dont le visage contrastait avec le corps robuste, ramassé sur lui-même : un visage de lune, des yeux rêveurs, mais bientôt on s'apercevait que le visage exprimait autant de violence que le corps. Et quand il vous serrait la main, vous éprouviez une brusque sensation de froid, comme s'il vous transmettait ce qu'on appelle le fluide glacial. Nous nous sommes avancés vers eux, et j'ai entendu la voix métallique de Paul Chastagnier :

« Alors, on revient du marché ? »

Et il fixait le cabas que je portais de la main gauche.

« Oui... Oui... On revient du marché », a dit Dannie avec une intonation très douce. Elle voulait sans doute se donner du courage. Son sang-froid m'étonnait, elle qui tout à l'heure était si inquiète à mesure que nous nous approchions de l'hôtel. Celui qui s'appelait « Georges » nous considérait tous les deux, avec son visage lunaire, à la peau blanche, si blanche qu'il semblait maquillé. Il haussait les sourcils dans une expression de curiosité et de méfiance que j'avais constatée chez lui chaque fois qu'il se trouvait en face de quelqu'un. C'était de lui, peut-être, que Dannie avait peur. La première fois que je l'avais croisé dans le hall, elle me l'avait présenté : « Georges. » Il était resté silencieux et, simplement, il avait haussé les sourcils. Georges : la sonorité de ce prénom avait soudain quelque chose d'inquiétant et de caverneux qui correspondait bien à son visage. Quand nous étions sortis de l'hôtel, Dannie m'avait dit : « Il paraît que ce type est dangereux », mais elle ne m'avait pas précisé pourquoi. Le savait-elle exactement ? D'après elle, c'était un homme qu'Aghamouri avait connu au Maroc. Elle avait souri et haussé les épaules : « Oh, tu sais, il vaut mieux ne pas se mêler de tout ça... »

« Vous prenez un verre avec nous ? a proposé Paul Chastagnier.

— C'est un peu tard », a dit Dannie, toujours avec cette même voix douce.

Aghamouri, qui n'avait pas quitté l'accoudoir du fauteuil où se tenait Gérard Marciano, nous fixait, elle et moi, d'un regard étonné. Il me semblait qu'il avait pâli.

« Dommage que vous ne vous joigniez pas à nous. Vous nous auriez expliqué ce que vous avez acheté au marché. »

Et, cette fois-ci, Paul Chastagnier s'adressait à moi. Décidément, ce cabas excitait sa curiosité.

« Vous m'aidez à déposer cela dans ma chambre ? » Elle s'était tournée vers moi et me vouvoyait brusquement en me désignant le cabas. On aurait dit qu'elle faisait exprès d'attirer leur attention sur ce cabas, peut-être pour les narguer tous.

Je l'ai suivie jusqu'à l'ascenseur, mais elle s'est engagée dans l'escalier. Elle montait devant moi. Sur le palier du premier étage où ils ne pouvaient plus nous voir, elle s'est rapprochée et m'a dit à l'oreille :

« Il vaut mieux que tu t'en ailles. Sinon, cela va me causer des problèmes avec Aghamouri. »

Je l'ai accompagnée jusqu'à la porte de sa chambre. Elle a pris le cabas. Elle m'a dit à voix basse, comme s'ils risquaient de nous entendre :

« Demain, à midi, au *Chat blanc*. »

C'était un café un peu triste de la rue d'Odessa, avec une arrière-salle où l'on passait inaperçu parmi quelques personnes qui jouaient au billard. Des Bretons aux casquettes de mariniers.

Avant de refermer la porte, elle m'a dit encore plus bas :

« Ce serait bien si on pouvait aller dans la maison de campagne dont je t'ai parlé. »

Pour descendre, j'ai choisi l'ascenseur. Je ne voulais pas croiser l'un d'eux dans l'escalier. Surtout Aghamouri. Je craignais qu'il ne me pose des questions et ne me demande des comptes. Encore une fois, je témoignais de ce manque de confiance en soi ou de cette timidité que Paul Chastagnier avait remarquée et qui lui avait fait dire un jour que nous marchions ensemble dans les rues grises de l'arrière-Montparnasse :

« C'est drôle... un garçon sensible et doué comme vous... Pourquoi faites-vous toujours profil bas ? »

Dans le hall, ils étaient encore assis sur les fauteuils. Je devais malheureusement passer devant eux pour sortir de l'hôtel, et je n'avais pas envie de leur parler. Aghamouri avait levé la tête et me fixait d'un regard froid qui n'était pas le sien d'habitude. Peut-être avait-il surveillé la porte de l'ascenseur pour savoir si je restais ou non dans la chambre de Dannie. Paul Chastagnier, Duwelz et Gérard Marciano étaient penchés vers « Georges » et l'écoutaient attentivement, comme s'il leur donnait des instructions. Je me suis glissé vers l'entrée de l'hôtel, l'air de ne pas vouloir les déranger. Je craignais qu'Aghamouri ne m'emboîte le pas. Mais non, il demeurait assis avec les autres. Ce n'était que partie remise, pensais-je. Demain, il me demanderait des comptes au sujet de Dannie et cela m'accablait d'avance. Je n'avais rien à lui dire. Rien. Et puis je n'avais jamais su répondre aux questions.

Dehors, je n'ai pu m'empêcher de les observer, derrière la vitre. Et, aujourd'hui, à mesure que j'écris, il me semble que je les observe encore, debout sur le trottoir, comme si je n'avais pas changé de place. J'ai beau regarder « Georges », celui dont elle me disait qu'il était « dangereux », je n'éprouve plus le sentiment d'inquiétude qui me prenait quelquefois quand je côtoyais ces gens dans le hall de l'Unic Hôtel. Paul Chastagnier, Duwelz et Gérard Marciano sont penchés vers « Georges » pour l'éternité et ils préparent ce qu'Aghamouri appelait « leurs mauvais coups ». Cela finira mal pour eux, en prison, ou dans d'obscurs règlements de comptes. Aghamouri, assis sur l'accoudoir du fauteuil, se tait et les considère de son regard inquiet. C'est lui qui m'avait dit : « Faites attention. Ils peuvent vous entraîner dans de très mauvais chemins. Je vous conseille de couper court pendant qu'il est encore temps. » Ce soir-là, il m'avait donné rendez-vous à la sortie de l'université de Censier. Il tenait à ce que nous ayons une « explication ». Mais j'avais pensé qu'il cherchait à me faire peur pour que je ne voie plus Dannie. Et, maintenant, il est là derrière la vitre lui aussi, pour l'éternité, avec son regard inquiet fixé sur les autres qui complotent à voix basse. Et j'ai envie de lui dire, à mon tour : « Faites attention. » Moi, je ne risquais rien. Mais je n'en avais pas clairement conscience à l'époque. Il m'aura fallu quelques années pour le comprendre. Si j'ai bonne mémoire, j'avais quand même le vague pressentiment qu'aucun d'entre eux ne m'entraînerait jamais sur de « mauvais chemins ». Langlais, quand il m'avait interrogé quai de Gesvres, m'avait dit : « Vous aviez vraiment de drôles de fréquentations. » Il se trompait. Tous ces gens que j'ai croisés, je les voyais de très loin. Cette nuit-là, je ne sais pas combien de temps je suis resté devant la vitre de l'hôtel à les observer. Un moment, Aghamouri s'est levé et il a marché vers la vitre. Il allait s'apercevoir que j'étais debout sur le trottoir à les observer. Je n'ai pas bougé d'un millimètre. Tant pis s'il venait me rejoindre dans la rue. Mais il avait le regard vide, il ne me voyait pas. Celui qui s'appelait « Georges » — le plus dangereux, paraît-il — s'est levé à son tour et a rejoint Aghamouri de sa démarche lourde. Ils étaient à quelques centimètres de moi derrière la vitre, et l'autre, avec son visage de lune et ses yeux durs, ne me voyait pas lui non plus. Peut-être la vitre était-elle opaque de l'intérieur, comme les glaces sans tain. Ou tout simplement, des dizaines et des dizaines d'années nous séparaient, ils demeuraient figés dans le passé, au milieu de ce hall d'hôtel, et nous ne vivions plus, eux et moi, dans le même temps.

Je notais très peu de rendez-vous sur ce carnet noir. Chaque fois, je craignais que la personne ne vienne pas si je consignais à l'avance l'heure et la date de notre rencontre. Il ne faut pas être aussi sûr que ça de l'avenir. Comme le disait Paul Chastagnier, je « faisais profil bas ». J'avais le sentiment de mener une vie clandestine et alors, dans ce genre de vie, on évite de laisser des traces et d'indiquer noir sur blanc son emploi du temps. Pourtant, je lis, au milieu de l'une des pages du carnet : « Mardi. Aghamouri. 19 heures. Censier. » Je n'attachais aucune importance à ce rendez-vous et cela ne me gênait pas qu'il figure en toutes lettres noires sur du papier blanc.

Ce devait être deux ou trois jours après notre arrivée tardive à l'Unic Hôtel quand je portais le cabas. J'avais été étonné de recevoir un mot d'Aghamouri 28, rue de l'Aude, où je louais une chambre. Comment pouvait-il connaître mon adresse ? Par Dannie ? Je l'avais emmenée plusieurs fois rue de l'Aude, mais bien plus tard il me semble. Mes souvenirs sont confus. Aghamouri avait écrit dans sa lettre : « Ne parlez de ce rendez-vous à personne. Surtout pas à Dannie. Que cela reste entre nous. Vous comprendrez. » Ce « Vous comprendrez » m'avait inquiété.

Il faisait déjà nuit. Je l'attendais en marchant le long du terrain vague qui précédait le bâtiment neuf de l'université. Ce soir-là, j'avais emporté mon carnet noir et, pour passer le temps, je notais les inscriptions qui figuraient encore sur quelques maisons et entrepôts qu'on allait détruire, en bordure du terrain vague. Je lis :

Sommet frères – Cuirs et peaux
Blumet (B.) et fils – Commissionnaire cuirs, peaux
Tanneries de Beaugency
Maison A. Martin – Cuirs verts
Salage de la Halle aux Cuirs de Paris

À mesure que je notais ces noms, j'éprouvais un malaise grandissant. Je crois que mon écriture en témoigne, saccadée, presque illisible à la fin. J'avais ajouté au crayon, d'une écriture plus ferme :

Hôpital des Cent Filles.

C'était une manie de vouloir connaître tout ce qui avait occupé, au fil du temps et par couches successives, tel endroit de Paris. Cette fois-ci, il me semblait respirer l'odeur écœurante des peaux et des cuirs verts. Le titre d'un documentaire que j'avais vu trop jeune et qui m'avait marqué pour la vie me revenait à la mémoire : *Le Sang des bêtes.* On tuait les animaux à Vaugirard, à la Villette, et on ramenait leurs peaux jusqu'ici pour en faire le commerce. Des milliers et des milliers d'animaux anonymes. Et de tout cela il ne restait qu'un terrain vague, et, pour très peu de temps encore, les noms de quelques charognards et assassins sur des murs à moitié écroulés. Et je les avais notés ce soir-là dans mon carnet. À quoi bon ? J'aurais plutôt aimé savoir les noms des cent filles de l'hôpital qui s'étendait sur ce terrain bien avant la halle aux cuirs.

« Vous êtes tout pâle... quelque chose ne va pas ? »

Aghamouri se tenait en face de moi. Je ne l'avais pas vu sortir du bâtiment de la faculté. Il était vêtu de son manteau beige et portait une serviette noire. J'étais encore absorbé par mes notes. Il m'a dit avec un sourire gêné :

« Vous me reconnaissez quand même ? »

J'étais prêt à lui montrer les noms que je venais d'écrire, mais à cette époque j'avais le sentiment que les gens se méfiaient de vous s'ils se rendaient compte que vous écriviez là, tout seul dans votre coin. Ils craignaient sans doute que vous leur voliez quelque chose, leurs paroles, des morceaux de leur vie.

« Votre cours était intéressant ? »

Je n'avais jamais été étudiant moi-même et je l'imaginais dans une salle de classe comme il en existait à l'école communale, ouvrant son pupitre pour prendre sa grammaire et son cahier de rédaction et trempant son porte-plume dans l'encrier.

Nous traversions le terrain vague en évitant les flaques d'eau. Son manteau beige et sa serviette noire renforçaient encore mon opinion : il ne pouvait pas être étudiant. On aurait dit qu'il allait à un rendez-vous d'affaires dans le hall d'un hôtel de Genève. J'avais cru que nous marcherions comme d'habitude jusqu'au café de la place Monge, mais nous prenions le chemin inverse, vers le Jardin des Plantes.

« Cela ne vous dérange pas que nous parlions calmement en faisant une petite promenade ? »

Il avait un ton dégagé, amical, mais je devinais chez lui une certaine gêne, comme s'il cherchait ses mots et qu'il attendait de se trouver dans un endroit éloigné où l'on ne rencontrerait personne de connaissance. Et, justement, la rue Cuvier s'ouvrait devant nous déserte et silencieuse jusqu'à la Seine.

« Je voulais vous mettre en garde... »

Il avait dit ces mots avec gravité. Puis, plus rien. Peut-être, au dernier moment, n'osait-il plus entrer dans les détails.

« En garde contre quoi ? »

Je lui avais posé la question trop brutalement. Si je faisais « profil bas » — comme le disait Paul Chastagnier —, je n'avais jamais suivi les conseils des autres. Jamais. Et chaque fois ils étaient surpris — et déçus — parce que je les avais écoutés attentivement, avec les yeux grands ouverts d'un bon élève ou d'un bon jeune homme. Nous longions de petits immeubles qui bordaient le Jardin des Plantes. À mon avis, c'était la partie du jardin qu'occupait la ménagerie. Il y avait très peu de lumière dans la rue, et au fond de cette pénombre et de ce silence nous risquions d'entendre le rugissement des fauves.

« J'aurais dû vous en parler avant... Il s'agit de Dannie... »

Je m'étais tourné vers lui, mais il gardait la tête haute et droite. Je me demandais s'il ne voulait pas éviter mon regard.

« J'ai connu Dannie à la Cité universitaire... Elle cherchait quelqu'un qui lui prêterait une chambre là-bas et même à qui elle pourrait emprunter une carte d'étudiante... »

Il parlait lentement, comme s'il tentait au fur et à mesure de mettre le plus de clarté possible dans un sujet très embrouillé.

« J'ai toujours eu l'impression que quelqu'un lui avait dit de venir me voir... Sinon, elle n'aurait jamais eu l'idée de la Cité universitaire... »

Moi aussi, je m'étais souvent demandé comment une fille telle que Dannie avait pu connaître l'existence de cette Cité. Je lui avais posé la question un soir que je l'avais accompagnée poste restante. « Tu sais, m'avait-elle dit, j'étais venue à Paris pour faire des études. » Oui, mais des études de quoi?

« Grâce à un ami du pavillon du Maroc, je lui ai procuré une carte d'étudiante et de résidente... Au nom de ma femme... »

Mais pourquoi au nom de sa femme? Il s'était arrêté de marcher.

« Elle avait peur d'utiliser sa carte d'identité à elle... Quand j'ai dû quitter la Cité universitaire, elle ne voulait plus y rester. Je lui ai présenté les autres, à l'hôtel de Montparnasse... Je crois que grâce à eux elle a pu obtenir de faux papiers... »

Il m'a serré le bras et m'a entraîné sur l'autre trottoir. J'étais surpris qu'il ait voulu brusquement traverser la rue. Nous étions arrêtés devant un petit immeuble, et peut-être craignait-il qu'on l'entende parler de l'une des fenêtres. De l'autre côté, il ne risquait rien. Nous longions les grilles de la halle aux vins, noyée de pénombre et qui était encore plus déserte et silencieuse que la rue.

« Et pourquoi, lui ai-je demandé, elle avait besoin de faux papiers? »

J'avais l'impression d'être dans un rêve. Cela m'arrivait souvent à cette époque, surtout quand la nuit était tombée. La fatigue? Ou bien cet étrange sentiment de déjà-vu qui vous envahit lui aussi à cause du manque de sommeil?

Alors, tout se brouille dans votre esprit, le passé, le présent, le futur, par un phénomène de surimpression. Et aujourd'hui encore, la rue Cuvier me semble détachée de Paris, dans une ville de province inconnue, et j'ai peine à croire que cet homme qui marchait à côté de moi ait vraiment existé. J'entends ma voix dans un écho lointain : « Pourquoi elle avait besoin de faux papiers ? »

« Mais elle s'appelle quand même Dannie ? » ai-je demandé à Aghamouri sur un ton faussement dégagé, tant j'éprouvais de l'appréhension sur ce qu'il allait me révéler.

« Oui, je crois..., m'a-t-il dit d'un ton sec. Sur sa nouvelle carte d'identité, je ne sais pas. Cela n'a pas beaucoup d'importance... Sur la carte que je lui ai donnée à la Cité universitaire, elle porte le nom de ma femme... Michèle Aghamouri. »

Je lui ai posé une question que j'ai regrettée aussitôt après l'avoir formulée :

« Et votre femme, elle est au courant ?

— Non. »

Il redevenait ce qu'il était quelques instants auparavant et celui dont je garde, encore aujourd'hui, un souvenir assez précis : un homme inquiet, toujours sur le qui-vive.

« Cela reste entre nous, n'est-ce pas ?

— Vous savez, lui ai-je dit, depuis que je suis enfant, j'ai appris à me taire. »

La manière solennelle avec laquelle j'avais prononcé cette phrase m'étonnait moi-même.

« Elle a fait quelque chose d'assez grave et on risque de lui demander des comptes, m'a-t-il dit, très vite. C'est pour ça qu'elle voulait de nouveaux papiers.

— Quelque chose d'assez grave ?

— Vous lui demanderez. Le problème c'est que, si vous lui en parlez, elle saura que ça vient de moi... »

Un portail était entrouvert, qui donnait accès à la halle aux vins, et Aghamouri s'était arrêté devant.

« Nous pouvons couper par là, me dit-il. Je connais un café, rue Jussieu. Vous n'en avez pas assez de marcher ? »

Je franchis le portail à sa suite pour déboucher sur une grande cour entourée de bâtiments à moitié détruits, comme ceux de l'ancienne halle aux cuirs. Et la même pénombre que sur le terrain vague où je l'attendais tout à l'heure... Là-bas, un lampadaire éclairait d'une lumière blanche des entrepôts encore intacts et qui portaient sur leurs murs des inscriptions du genre de celles que j'avais remarquées dans les ruines de la halle aux cuirs.

Je m'étais tourné vers Aghamouri :

« Vous permettez ? »

Je sortis de la poche de ma veste mon carnet noir, et je relis aujourd'hui les notes que j'avais prises ce soir-là d'une écriture rapide tandis que nous marchions vers la rue Jussieu :

Marie Brizard et Roger
Butte de la Gironde
Les Bons Vins algériens
Magasins de la Loire
Libaud, Margerand et Blonde
Préau des eaux-de-vie. Caves de la Roseraie...

« Vous faites ça souvent? » m'a demandé Aghamouri.

Il paraissait désappointé, comme s'il craignait que tout ce qu'il voulait me confier ne m'intéresse pas vraiment et que j'aie d'autres préoccupations. Mais, je n'y peux rien, en ce temps-là j'étais aussi sensible qu'aujourd'hui aux gens et aux choses qui sont sur le point de disparaître. Nous arrivions devant une construction moderne dont le hall était éclairé et qui portait sur son fronton l'inscription : Faculté des Sciences.

Nous avons traversé le hall de cette faculté et puis, de nouveau, un terrain vague jusqu'à la rue Jussieu.

« C'est là », m'a dit Aghamouri.

Et il me désignait, de l'autre côté de la rue, un café après le théâtre de Lutèce. Des gens étaient groupés sur le trottoir, attendant le début du spectacle.

Nous nous sommes assis dans un coin, près du zinc. En face de nous, de l'autre côté de la salle, une rangée de tables où quelques personnes dînaient.

C'était à moi maintenant de prendre l'initiative pour le faire parler. Sinon, il allait regretter de m'en avoir déjà trop dit.

« Vous évoquiez tout à l'heure quelque chose d'assez grave concernant Dannie... J'aimerais vraiment que vous me donniez des précisions. »

Il a hésité un instant.

« Elle risque de très gros ennuis d'ordre judiciaire... »

Il cherchait ses mots, des mots qui seraient précis, professionnels, des mots d'avocat ou de policier.

« Pour le moment, elle est plus ou moins à l'abri... Mais on risque de s'apercevoir qu'elle est impliquée dans une sale histoire...

— Qu'est-ce que vous voulez dire par "sale histoire" ?

— C'est à vous de le lui demander. »

Un moment de silence entre nous. Et même un malaise. J'ai entendu la sonnerie du théâtre, à côté, qui annonçait le début de la pièce. Mon Dieu, comme j'aurais aimé ce soir-là être dans la salle avec elle parmi les spectateurs et qu'elle ne fût plus impliquée dans « une sale histoire »... Je ne comprenais pas les réticences d'Aghamouri à m'expliquer en quoi consistait cette « sale histoire ».

« Je crois que vous êtes assez intime avec Dannie... », lui ai-je dit. Il m'a fixé d'un regard gêné.

« Je vous ai vu avec elle, une nuit, très tard, au "66"... »

Il n'avait pas l'air de savoir ce qu'était « le 66 ». Je lui ai précisé qu'il s'agissait du café, vers le haut du boulevard Saint-Michel, près de la gare du Luxembourg.

« C'est possible... Nous allions là quand nous habitions encore la Cité universitaire... »

Il me souriait comme s'il cherchait désormais à ce que la conversation prenne une tournure plus anodine, mais je souhaitais qu'il entre dans le vif du sujet. Après tout, c'était lui qui m'avait donné rendez-vous. J'avais sa lettre sur moi dans l'enveloppe à mon nom adressée au 28 de la rue de l'Aude. Je l'avais rangée entre les pages de mon carnet noir. D'ailleurs, je l'ai conservée et je l'ai relue encore aujourd'hui avant d'en recopier les mots, fidèlement, sur l'une des feuilles de ce papier à lettres « Clairefontaine » dont je me sers depuis quelques jours pour écrire.

« Et vous ne croyez pas qu'il faudrait prévenir votre femme que Dannie a une carte d'identité à son nom... ? »

J'ai senti qu'il « craquait », et jamais ce mot d'argot ne m'avait paru aussi juste. Aujourd'hui quand j'y pense je vois même un réseau de craquelures sur la peau de son visage. Il semblait si inquiet que j'ai voulu le rassurer. Non, tout cela n'avait aucune importance.

« Si vous pouviez récupérer cette carte que je lui ai donnée au nom de ma femme, ça m'arrangerait... »

Il savait bien que je n'étais pas un mauvais garçon. Après tout, quand j'étais venu le chercher à deux ou trois reprises, le soir à la sortie des cours de la faculté de Censier, nous parlions de littérature. Il avait une connaissance assez approfondie de Baudelaire et m'avait même demandé de lui lire mes notes sur Jeanne Duval.

« De toute façon, m'a-t-il dit, les autres lui ont fait de faux papiers, et elle n'a plus besoin de cette carte... Mais ne lui dites surtout pas que je vous en ai parlé... »

Il montrait une telle inquiétude que j'étais décidé à lui rendre ce service sans savoir très bien comment. J'avais quelques scrupules à fouiller dans le sac à main de Dannie. Au début, quand je l'accompagnais poste restante, elle tendait au préposé derrière le guichet une sorte de carte d'identité. Était-elle au nom de Michèle Aghamouri ? Était-ce le nom qui figurait sur les faux papiers que lui avait donnés le petit groupe de l'Unic Hôtel ? Et lequel d'entre eux précisément lui avait rendu ce service ? Paul Chastagnier, Duwelz, Gérard Marciano ? Moi, je penchais plutôt pour « Georges », l'homme à la face lunaire et au fluide glacial, plus âgé que les autres et qui leur inspirait une certaine crainte, celui dont Paul Chastagnier m'avait dit, quand je lui avais posé une question le concernant :

« Vous savez, ce n'est pas tout à fait un enfant de chœur... »

« Il paraît que vous avez un appartement avec votre femme du côté de la maison de la Radio... »

J'ai cru qu'il allait me trouver indiscret. Mais non. Il m'a souri, et j'avais le sentiment qu'il était soulagé que j'aborde ce sujet avec lui.

« Oui... un tout petit appartement... j'aimerais bien vous y inviter avec ma femme... mais à condition que vous oubliiez que je fréquente Dannie, l'Unic Hôtel et les autres, quand nous serons là-bas... »

Et il avait prononcé « là-bas » comme le nom d'un pays lointain et neutre où l'on était à l'abri du danger.

« Au fond, lui ai-je dit, il suffit de traverser la Seine pour tout oublier de ce que l'on laisse derrière soi.

— Vous croyez vraiment ? »

J'ai bien vu qu'il cherchait un réconfort. Je crois qu'il éprouvait de la confiance à mon égard... Chaque fois que nous étions en tête à tête ou que nous marchions de la place Monge à Montparnasse, nous parlions de littérature. Ce n'était pas avec les autres, ceux de l'Unic Hôtel, qu'il aurait pu en faire autant. J'imaginais mal Paul Chastagnier ou Duwelz, ou « Georges » s'intéresser au sort de Jeanne Duval. Gérard Marciano peut-être ? Il m'avait confié un jour qu'il voulait se mettre à la peinture et qu'il connaissait un « bar d'artistes » rue Delambre : *Le Rosebud*. Des années plus tard, dans le dossier que m'avait transmis ce Langlais, il y avait une fiche de police concernant Marciano avec deux photos anthropométriques de face et de profil, et *Le Rosebud* était mentionné parmi les endroits qu'il fréquentait.

Il a levé la tête vers moi.

« Malheureusement, je ne crois pas qu'il suffise de traverser la Seine... »

Il avait de nouveau ce sourire timide qui risquait de s'éteindre d'une seconde à l'autre.

« Dannie n'est pas la seule... Moi aussi, Jean, je me suis mis dans un beau pétrin... »

C'était la première fois qu'il m'appelait par mon prénom, et j'en étais touché. Je restais silencieux pour le laisser parler. Je craignais qu'un seul mot de ma part ne coupe net la moindre confidence.

« J'ai peur de revenir au Maroc... Ce serait la même chose qu'à Paris... Une fois que vous avez mis un petit doigt dans l'engrenage, c'est très difficile de retirer votre main... »

De quel engrenage s'agissait-il ? D'une voix la plus douce possible, à la limite du chuchotement, je lui ai quand même posé une question, à tout hasard :

« Quand vous habitiez à la Cité universitaire, vous ne vous sentiez pas à l'abri ? »

Il a froncé les sourcils d'un air studieux, celui sans doute qu'il prenait pendant ses cours à l'université de Censier pour se rassurer lui-même en se persuadant qu'il n'était qu'un simple étudiant.

« Vous savez, Jean, il y avait une ambiance curieuse, là-bas, à la Cité, au pavillon du Maroc... Souvent des contrôles de police... On voulait surveiller les résidents d'un point de vue politique. Certains étudiants étaient des opposants au gouvernement marocain... et le Maroc demandait à la France de les surveiller... Voilà... »

Il était apparemment soulagé de m'avoir confié cela. Et même essoufflé. Voilà. Après ce préambule, c'était sûrement plus facile pour lui d'entrer dans le vif du sujet.

« En gros, si vous voulez, ma position était assez délicate... j'étais coincé entre les deux... je fréquentais à la fois les gens des deux bords... On aurait pu dire que je jouais double jeu... Mais c'est beaucoup plus compliqué que ça... Au fond, on ne joue jamais double jeu... »

Il devait avoir raison puisqu'il me le confiait avec une telle gravité... Curieusement, cette phrase est demeurée dans ma mémoire. Au cours des années suivantes, quand j'étais seul dans la rue, la nuit de préférence et dans certains quartiers de l'ouest — un soir justement, près de la maison de la Radio —, j'entendais la voix lointaine d'Aghamouri me dire : « Au fond, on ne joue jamais double jeu. »

« Je n'ai pas été assez vigilant... Je me suis laissé entraîner dans une sorte d'engrenage...

93

Vous savez, Jean, certaines personnes qui fréquentent l'Unic Hôtel ont des rapports étroits avec le Maroc... »

À mesure que l'heure passait, il y avait de plus en plus de brouhaha et beaucoup plus de dîneurs aux tables devant nous. Aghamouri parlait à voix basse, et je n'entendais pas tout ce qu'il disait. Oui, l'Unic Hôtel était le point de chute de certains Marocains et de Français qui étaient « en affaires » avec eux... Mais quel genre « d'affaires » ? Ce « Georges » au visage lunaire et dont Paul Chastagnier m'avait précisé qu'il n'était pas un « enfant de chœur » possédait lui-même un hôtel au Maroc... Paul Chastagnier avait longtemps habité Casablanca... Et Marciano était né là-bas... Et lui, Aghamouri, il s'était trouvé parmi ces gens à cause d'un ami marocain qui fréquentait la Cité universitaire, mais en réalité avait un poste à l'ambassade, un poste de conseiller pour les questions « de sécurité »...

Il parlait de plus en plus vite, et il m'était difficile de le suivre dans ce flot de détails. Peut-être voulait-il se débarrasser d'un fardeau ou d'un secret qu'il avait porté trop longtemps tout seul. Il m'a dit brusquement :

« Excusez-moi... Tout cela doit vous paraître incohérent... »

Mais non. J'avais l'habitude d'écouter les gens. Et même, quand je ne comprenais rien à ce qu'ils disaient, je gardais les yeux grands ouverts en les fixant d'un regard pénétrant, ce qui leur donnait l'illusion qu'ils avaient en face d'eux un interlocuteur particulièrement attentif. Je pensais à autre chose, mais mon regard les fixait toujours, l'air de boire leurs paroles. Pour Aghamouri, c'était différent. Comme il faisait partie de l'entourage de Dannie, j'essayais de comprendre. Et j'espérais qu'il lâcherait quelques mots concernant « la sale histoire » dans laquelle, m'avait-il dit, elle était « impliquée ».

« Vous avez de la chance... Vous n'êtes pas obligé comme nous de mettre la main dans le cambouis... Vous gardez les mains propres... »

Il perçait, dans ces derniers mots, un reproche. Qu'est-ce qu'il voulait signifier par ce « nous » ? Lui et Dannie ? J'ai regardé ses mains. Elles étaient fines, beaucoup plus fines que les miennes. Et blanches. Celles de Dannie aussi m'avaient frappé par leur distinction. Elle avait les poignets très graciles.

« Seulement, il faut faire attention aux mauvaises rencontres... On a beau se croire invulnérable, il y a toujours un défaut dans l'armure... Toujours... Faites attention, Jean... »

On aurait dit qu'il m'enviait d'avoir encore « les mains propres » et qu'il attendait le moment où je finirais par me les salir. Sa voix devenait de plus en plus lointaine. Et, au moment où j'écris ces lignes, cette voix est aussi faible que celles qui vous parviennent, à la radio, très tard dans la nuit, brouillées par des parasites. Je crois que j'avais déjà cette impression sur le moment. Il me semble qu'à cette époque je les voyais tous comme s'ils étaient derrière la vitre d'un aquarium, et cette vitre nous séparait, eux et moi. Ainsi, dans les rêves, vous observez les autres vivre les incertitudes du présent, mais, vous, vous connaissez l'avenir. Alors, vous tentez de convaincre Mme du Barry de ne pas rentrer en France pour éviter de se faire guillotiner. Ce soir, je me dis que je vais prendre le métro jusqu'à Jussieu. À mesure que les stations défileront, je remonterai le cours du temps. Je retrouverai Aghamouri assis à la même table près du zinc, dans son manteau beige, la serviette noire posée à plat sur la table, cette serviette noire dont je me demandais si elle contenait les cours de l'université de Censier qui lui permettraient, me disait-il, de passer l'examen de « propédeutique ». Je n'aurais pas été surpris s'il en avait sorti des liasses de billets de banque, un revolver ou des fiches de renseignements qu'il devait transmettre à cet ami marocain de la Cité universitaire dont il m'avait parlé et qui occupait un poste de « conseiller » à l'ambassade... Je l'entraînerai jusqu'à la station Jussieu et nous ferons le voyage inverse dans le temps. Tout au bout de la ligne, nous sortirons à Église-d'Auteuil. Un soir calme, une place paisible, presque villageoise. Je lui dirai : « Voilà. Vous êtes dans le Paris d'aujourd'hui. Vous n'avez plus rien à craindre. Ceux qui vous voulaient du mal sont tous morts depuis longtemps. Vous êtes hors d'atteinte. Il n'y a plus de cabine téléphonique. Pour me joindre, à toute heure du jour ou de la nuit, vous utilisez cet objet. » Et je lui tendrai un portable.

« Oui... Faites attention, Jean... Quand vous étiez à l'Unic Hôtel, je vous ai vu plusieurs fois parler à Paul Chastagnier... Il va vous embarquer vous aussi dans une sale histoire... »

Il était tard, les gens sortaient du théâtre de Lutèce. Et il n'y avait plus personne aux tables des dîneurs en face de nous. Aghamouri paraissait encore plus inquiet qu'au début de notre entretien. J'avais l'impression qu'il avait peur de sortir et qu'il resterait dans ce café jusqu'à l'heure de la fermeture.

Je lui ai posé de nouveau la question :

« Et Dannie ?... Vous croyez vraiment que cette "sale histoire" dont vous parliez... »

Il ne m'a pas laissé le temps d'achever ma phrase. Il m'a dit, d'un ton sec :

« Ça peut lui coûter très cher... Même avec de faux papiers, ils risquent de la repérer... J'ai eu tort de l'emmener à l'Unic Hôtel et de lui présenter les autres... mais c'était juste pour qu'elle ait un répit... Elle aurait dû tout de suite quitter Paris... »

Il avait oublié ma présence. Il se répétait sans doute les mêmes mots quand il était seul, la nuit, à cette heure-là. Et puis, il a secoué la tête comme s'il sortait d'un mauvais rêve.

« Je vous parlais de Paul Chastagnier... Mais le plus dangereux c'est quand même "Georges"... C'est lui qui a fourni à Dannie de faux papiers. Il a de gros appuis au Maroc et des contacts avec cet ami de l'ambassade... Ils veulent que je leur rende un service... »

Il était tout prêt à se confier définitivement, mais il s'est arrêté à temps.

« Je ne comprends pas qu'un garçon comme vous fréquente ces gens... Moi, je ne peux pas faire autrement. Mais vous ? »

J'ai haussé les épaules.

« Vous savez, lui ai-je dit, je ne fréquente personne. La plupart des gens me sont indifférents. Sauf Restif de La Bretonne, Tristan Corbière, Jeanne Duval, et quelques autres.

— Alors, vous avez bien de la chance... »

Et, comme un policier qui veut vous extorquer un aveu et feint une connivence avec vous :

« Au fond, c'est de la faute de Dannie, hein, tout ça ? Si j'ai un conseil à vous donner, vous devez rompre avec cette fille...

— Je n'écoute jamais les conseils. »

Je m'efforçais de lui sourire, d'un sourire candide.

« Faites attention à vous... Dannie et moi, nous sommes un peu des pestiférés... Avec nous, vous risquez d'attraper la lèpre... »

En somme, il voulait me signifier qu'il y avait un lien étroit entre eux deux, des points communs, une complicité.

« Ne vous faites pas trop de soucis pour moi », lui ai-je dit.

Quand nous sommes sortis du café, il était presque minuit. Il se tenait très droit dans son manteau beige, la serviette noire à la main.

« Excusez-moi... J'ai un peu perdu la tête ce soir... Il ne faut pas faire attention à ce que je vous ai dit... Ça doit être à cause des examens. Je dors très mal... Je dois passer un oral dans quelques jours... »

Il avait retrouvé toute sa dignité et son sérieux d'étudiant.

« Je suis beaucoup moins bon à l'oral qu'à l'écrit. »

Il s'efforçait de sourire. Je lui ai proposé de l'accompagner jusqu'à la station de métro Jussieu.

« C'est vraiment idiot... Je n'ai même pas pensé à vous inviter à dîner. »

Ce n'était plus le même homme. Il s'était complètement ressaisi.

Nous avons traversé la place d'un pas tranquille. Nous avions encore du temps avant le dernier métro.

« Il ne faut pas que vous teniez compte de ce que je vous ai dit au sujet de Dannie... Ce n'est pas si grave que ça... Et puis quand on a de l'affection pour quelqu'un, on prend trop à cœur ce qui le concerne et on se fait des soucis inutiles... »

Il s'exprimait d'une voix nette, en mettant chaque mot en valeur. Une formule m'est venue à l'esprit : il essaye de noyer le poisson dans l'eau.

Il se préparait à descendre l'escalier de la bouche de métro. Je n'ai pas pu m'empêcher de lui demander :

« Vous allez dormir à l'Unic Hôtel ? »

Il ne s'attendait pas à cette question. Il a hésité un moment :

« Je ne crois pas... Finalement, j'ai récupéré ma chambre à la Cité universitaire... c'est quand même un endroit plus agréable... »

Il m'a serré la main. Il avait hâte de me quitter puisqu'il descendait très vite l'escalier. Avant de s'enfoncer dans le couloir, il s'est retourné comme s'il avait peur que je lui emboîte le pas. Et j'ai été tenté de le faire. J'imaginais que nous étions assis l'un à côté de l'autre sur l'un des bancs grenat du quai attendant une rame qui mettait du temps à venir, à cause de l'heure tardive. Il m'avait menti, il ne regagnait pas la Cité universitaire, sinon il aurait pris la ligne de la Porte d'Italie. Il rentrait à l'Unic Hôtel. Il descendrait à Duroc. Encore une fois, j'essayais de savoir dans quelle « sale histoire » Dannie s'était égarée. Mais il ne me répondait pas. Là, sur ce banc, il faisait même semblant de ne pas me connaître. Il montait dans le wagon du métro, les portières se refermaient sur lui et, le front collé à la vitre, il me fixait d'un regard éteint.

Cette nuit-là, je suis retourné à pied dans ma chambre de la rue de l'Aude. Grâce à cette longue marche, je pouvais me perdre dans mes pensées. Quand Dannie me rejoignait là-bas, c'était souvent vers une heure du matin. Quelquefois, elle me disait : « Je suis allée voir mon frère » ou : « j'étais chez mon amie du Ranelagh », sans me donner beaucoup de détails. D'après ce que j'avais cru comprendre, ce frère — de temps en temps elle l'appelait « Pierre » — n'habitait pas à Paris mais y venait régulièrement. Et « l'amie du Ranelagh » était désignée ainsi parce que son domicile se trouvait aux alentours des jardins du Ranelagh. Si elle ne m'avait jamais proposé de rencontrer son frère, elle me disait qu'elle me ferait connaître un jour son « amie du Ranelagh ». Les jours passaient sans qu'elle tienne sa promesse.

Peut-être Aghamouri ne m'avait-il pas menti et, pendant que je marchais jusqu'à la rue de l'Aude, était-il déjà rentré dans sa chambre à la

Cité universitaire. Mais Dannie ? J'entendais encore, comme un écho de plus en plus faible, la voix d'Aghamouri : « Elle a fait quelque chose d'assez grave... Elle risque de très gros ennuis... » Et je craignais de l'attendre en vain cette nuit-là. Après tout, je l'attendais souvent la nuit, sans jamais être sûr qu'elle viendrait. Ou alors, elle le faisait à l'improviste, vers quatre heures du matin. Je m'étais endormi d'un sommeil léger, et le bruit de la clé qui tournait dans la serrure me réveillait en sursaut. Les soirées étaient longues quand je restais dans le quartier à l'attendre, mais cela me semblait naturel. Je plaignais ceux qui devaient inscrire sur leurs agendas de multiples rendez-vous, dont certains deux mois à l'avance. Tout était réglé pour eux et ils n'attendraient jamais personne. Ils ne sauraient jamais que le temps palpite, se dilate, puis redevient étale, et peu à peu vous donne cette sensation de vacances et d'infini que d'autres cherchent dans la drogue, mais que moi je trouvais tout simplement dans l'attente. Au fond, j'étais à peu près certain que tu viendrais tôt ou tard. Vers huit heures du soir, j'entendais ma voisine refermer sa porte, et son pas décroissait dans l'escalier. Elle habitait à l'étage au-dessus. À sa porte, un petit carton blanc où était écrit à l'encre rouge son prénom : Kim. Elle avait à peu près le même âge que nous. Elle jouait dans une pièce et elle m'avait dit qu'elle avait toujours peur d'arriver en retard, après le lever du rideau. Elle nous avait offert des places, à Dannie et à moi, et nous étions allés dans un théâtre des boulevards qui n'existe plus aujourd'hui. Un taxi l'attendait chaque soir de la semaine — sauf le lundi — à huit heures précises, et le dimanche à deux heures de l'après-midi, devant le 28 de la rue de l'Aude. Par la fenêtre, je la voyais monter dans le taxi, vêtue d'une canadienne, et claquer la portière. C'était en janvier, il avait fait très froid, puis une couche de neige avait recouvert la rue, et pendant quelques jours nous étions loin de Paris, dans un village de montagne. Je ne me souviens plus du titre de la pièce ni de l'intrigue. Elle montait sur scène après l'entracte. J'avais noté sur mon carnet noir l'une des phrases de son rôle, et l'heure exacte : vingt et une heures quarante-cinq minutes à laquelle tombait cette réplique. Si l'on m'avait demandé pourquoi, je ne crois pas que j'aurais pu répondre d'une manière précise. Mais aujourd'hui je comprends mieux : j'avais besoin de points de repère, de noms de stations de métro, de numéros d'immeubles, de pedigrees de chiens, comme si je craignais que d'un instant à l'autre les gens et les choses ne se dérobent ou disparaissent et qu'il fallait au moins garder une preuve de leur existence.

Chaque soir, je savais qu'aux environs de vingt et une heures quarante-cinq minutes, elle dirait, sur la scène, face au public :

« Nous aurons été pour si peu de chose dans sa vie... »

Et de l'écrire aujourd'hui, un demi-siècle plus tard — ou même après un siècle, je ne sais plus compter les années —, j'oublie un instant ce sentiment de vide que j'éprouve. Taxi qui attendait à huit heures du soir, peur d'arriver après le lever du rideau, canadienne à cause de l'hiver et de la neige, gestes qui étaient quotidiens et qui sont abolis, pièce de théâtre que personne ne verra plus jamais, rires et applaudissements perdus, théâtre lui-même que l'on a détruit... Nous aurons été pour si peu de chose dans sa vie... Le lundi soir de relâche, il y avait de la lumière à sa fenêtre, et cela aussi me rassurait. Les autres soirs, j'étais seul dans ce petit immeuble. J'avais parfois l'impression de perdre la mémoire et de ne plus très bien comprendre ce que je faisais là. Jusqu'au retour de Dannie.

Je marchais avec elle dans le quartier de mon enfance, ce quartier que j'évitais d'habitude parce qu'il m'évoquait des souvenirs doulou- reux, et qui m'est totalement étranger et indif- férent aujourd'hui tant il a changé. Nous avions dépassé le Royal Saint-Germain et nous arri- vions devant l'entrée de l'hôtel Taranne. J'ai vu sortir de l'hôtel cet écrivain que j'admirais et dont l'un des poèmes s'intitulait « Dannie ». Derrière nous, une voix d'homme a appelé : « Jacques!... » et il s'est retourné. Il m'a lancé un regard étonné, car il croyait que c'était moi qui l'appelais par son prénom. J'ai eu envie de profiter de ce hasard, de marcher vers lui et de lui serrer la main. Je lui aurais demandé pour- quoi son poème s'appelait « Dannie » et si, lui aussi, avait connu une fille de ce nom. Mais je n'ai pas osé. Quelqu'un est venu le rejoindre, en l'appelant de nouveau « Jacques... », et il a compris sa méprise. Je crois même qu'il m'a lancé un sourire. Les deux hommes, devant nous, suivaient le boulevard en direction de la Seine.

« Tu devrais aller lui dire bonjour », m'a dit Dannie. Elle m'a même proposé de l'aborder à ma place, mais je l'ai retenue. Et puis c'était trop tard, ils avaient disparu en s'engageant à gauche dans le boulevard Raspail. Nous avons fait demi-tour. De nouveau, nous étions devant l'entrée de l'hôtel Taranne.

« Pourquoi tu ne lui déposes pas une lettre pour lui demander un rendez-vous ? » m'a dit Dannie.

Mais non. La prochaine fois que je le rencontrerais, je vaincrais ma timidité et j'irais lui serrer la main. Malheureusement, je ne l'ai plus jamais rencontré et, des dizaines d'années plus tard, j'ai appris par l'un de ses amis que, si vous lui serriez la main, il vous regardait d'un air las et disait : « Toujours cinq doigts ? » Oui, quelquefois la vie est monotone et quotidienne, comme aujourd'hui où j'écris ces pages pour trouver des lignes de fuite et m'échapper par les brèches du temps. Nous étions assis tous les deux sur le banc du terre-plein entre la station de taxis et l'hôtel Taranne. Je devais apprendre aussi l'année suivante qu'un crime avait été commis là, sur ce trottoir, derrière nous. On avait fait monter dans une voiture — soi-disant de la police — un homme politique marocain, mais il s'agissait d'un enlèvement, puis d'un crime. Et le nom de « Georges », celui qui se tenait souvent dans le hall de l'Unic Hôtel, avait été cité dans les journaux comme l'un des acteurs de ce crime, et je m'attendais chaque fois à tomber sur les noms de Paul Chastagnier, Duwelz, Gérard Marciano et d'Aghamouri, dont j'aurais bien voulu qu'il me donne son avis là-dessus. Mais cela me faisait peur et je me souvenais de la phrase qu'il m'avait dite, le soir où nous étions dans ce café près du théâtre de Lutèce : « Nous sommes des pestiférés. Avec nous, vous risquez d'attraper la lèpre... » Un après-midi, je suis entré dans une cabine téléphonique, loin à l'ouest, du côté d'Auteuil. Et cette distance me rassurait un peu. Il me semblait que l'Unic Hôtel était dans une autre ville. J'ai composé le numéro du pavillon du Maroc à la Cité universitaire, qu'Aghamouri m'avait donné lors de notre première rencontre avec Dannie et que j'avais noté sur mon carnet noir : POR 58.17. Il y avait peu de chance qu'il occupe encore une chambre là-bas. Je me suis entendu dire d'une voix blanche :

« Pourrais-je parler à Ghali Aghamouri ? »

Il y a eu un moment de silence. J'ai failli raccrocher. Mais un vertige m'a saisi, comme quelqu'un qui pourrait se mettre à l'abri mais éprouve brusquement l'envie de courir au-devant d'un danger.

« De la part de qui ? »

L'homme m'avait posé la question d'une voix sèche qui était celle d'un inspecteur de la préfecture de police.

« D'un ami.

— Je vous ai demandé votre nom, monsieur. »

J'allais succomber au vertige : lui donner mon
nom, mon prénom, mon adresse. Je me suis rat-
trapé à temps.

« Tristan Corbière. »

Un silence. Il devait noter ce nom.

« Et pourquoi voulez-vous parler à Ghali
Aghamouri ?

— Parce que je veux lui parler. »

J'avais pris une voix sèche moi aussi, encore
plus sèche que la sienne.

« Ghali Aghamouri n'habite plus au pavillon
du Maroc. Vous m'entendez, monsieur ? Vous
m'entendez ? »

À mon tour, je gardais le silence. Et je sentais
à l'autre bout du fil le trouble de mon interlocuteur, et même son inquiétude à cause de mon
silence. J'ai raccroché. Par la suite, je suis
souvent passé sur le trottoir où étaient le Royal
Saint-Germain et l'hôtel Taranne, mais ils
n'existaient plus ni l'un ni l'autre, comme si
l'on avait voulu changer le décor du crime pour
le faire oublier. La semaine dernière, j'ai même
remarqué qu'ils avaient enlevé le banc devant la
station de taxis où nous étions assis ce soir-là,
Dannie et moi.

« C'est idiot... tout à l'heure, j'aurais pu
l'aborder et lui dire que je m'appelais Dannie...
comme son poème... »

Elle a éclaté de rire. Oui, cet homme, d'après ce que j'avais lu de lui et son allure débonnaire, aurait certainement eu la gentillesse de passer quelques moments avec nous. Je récitais parfois dans la rue, quand je marchais seul, des vers qu'il avait écrits :

Si je meurs qu'aille ma veuve
À Javel près de Citron...

Saint-Christophe-de-Javel. Nous revenions justement de ce quartier où j'avais accompagné Dannie, comme d'habitude, poste restante. J'avais voulu pendant le trajet lui confier tout ce que m'avait dit Aghamouri, cette « sale histoire » à laquelle il avait fait allusion et qui la concernait, mais je cherchais les mots, ou plutôt le ton qu'il fallait prendre, un ton léger, presque blagueur pour ne pas l'effaroucher... Je craignais qu'elle ne se braque — comme on disait dans un certain milieu, celui sans doute de l'Unic Hôtel — et qu'il y ait un malaise entre nous.

Nous étions prêts à nous engager rue de Rennes et à la suivre jusqu'à Montparnasse. Mais au seuil de cette grande rue triste et rectiligne qui se perdait à l'horizon — la tour Montparnasse ne l'endeuillait pas encore de sa barre noirâtre —, j'ai eu un mouvement de recul. Je lui ai demandé si elle comptait vraiment rentrer à l'Unic Hôtel.

« Je dois voir Aghamouri, m'a-t-elle dit, pour qu'il me donne des papiers. »

C'était le moment de mettre les choses au clair. J'ai hésité encore quelques secondes. Et puis :

« Quel genre de papiers? Des papiers au nom de Michèle Aghamouri? »

Elle me regardait, stupéfaite, immobile sur le trottoir, à la hauteur de ce qui est maintenant l'entrée du Monoprix et qui était alors un jardin abandonné où se réfugiaient des dizaines et des dizaines de chats errants.

« C'est lui qui te l'a dit?

— Oui. »

Son visage s'est durci, et j'ai pensé à Aghamouri. S'il s'était trouvé devant elle à cet instant-là, elle se serait montrée violente avec lui. Puis elle a haussé les épaules et, sur un ton détaché :

« Ça paraît un peu bizarre, mais c'est tout à fait naturel... Michèle m'a prêté sa carte d'étudiante... J'ai perdu tous mes papiers et il faut que je fasse des tas de démarches compliquées pour obtenir un acte de naissance... Je suis née à Casablanca... »

Était-ce une coïncidence? Elle aussi avait un rapport avec le Maroc.

« Il m'a expliqué aussi que quelqu'un t'avait procuré de faux papiers. »

J'avais dit « quelqu'un », parce que je ne savais pas quel était vraiment le nom de l'homme

au visage lunaire que les autres appelaient
« Georges » et s'il s'agissait de son prénom,
d'un pseudonyme, ou même d'un nom de
famille.

« Mais non, pas du tout de faux papiers...
Tu veux parler de Rochard? celui qui est souvent dans le hall de l'hôtel?

— Celui qu'ils appellent "Georges"...

— C'est bien le même, m'a-t-elle dit.
Rochard... Il va souvent au Maroc... Il a un hôtel
à Casablanca... Et, comme j'y suis née, il a pu
me procurer des papiers provisoires... En attendant les vrais... »

Nous n'avons pas pris la rue de Rennes. Peut-
être la perspective de se diriger vers Montparnasse en suivant cette grande rue morne et de
retrouver l'Unic Hôtel lui causait, à elle aussi,
une certaine appréhension. Nous marchions
vers la Seine.

« Aghamouri m'a dit que tu avais besoin de
faux papiers parce que tu étais embarquée dans
une sale histoire... »

Nous étions arrivés à la hauteur de l'école des
Beaux-Arts. Des étudiants étaient groupés sur le
trottoir. Ils fêtaient quelque chose. Certains portaient des instruments de musique, d'autres
étaient vêtus de différents costumes : mousque-
taires, bagnards, ou tout simplement ils avaient
le torse nu avec des traits de peinture de différentes couleurs sur la peau. Comme des Indiens.

« Il t'a dit "dans une sale histoire"?»

Elle me fixait du regard, les sourcils froncés. Elle paraissait ne pas comprendre. Les autres, autour de nous, poussaient des cris et commençaient à jouer de leurs instruments. J'ai regretté les mots que j'avais prononcés : faux papiers, sale histoire. Et dire que nous aurions pu être semblables à ces gentils étudiants qui nous barraient le passage... Ils nous invitaient à leur bal, cette nuit. Le bal des Quat'zarts. Nous avons eu de la peine à nous dégager de leur groupe, et leurs voix et leur musique ont fini par s'éteindre derrière nous.

« Aghamouri voulait même que je récupère la carte qu'il t'avait donnée au nom de sa femme... »

Elle a éclaté de rire, et je ne savais pas si ce rire était naturel ou forcé.

« Et, en plus, il t'a dit que j'étais embarquée dans une sale histoire ? Et tu as cru tout ça, Jean ? »

Nous marchions le long des quais, et j'étais soulagé que nous soyons là plutôt que dans la morne et étouffante rue de Rennes. Au moins, il y avait de l'espace et je respirais. Et très peu de circulation. Le silence. On entendait le bruit de nos pas.

« Il dit n'importe quoi... C'est lui qui est embarqué dans une sale histoire... Il ne t'en a pas parlé ?

— Non. »

Tout cela n'avait aucune importance. La seule chose qui comptait, c'était que nous marchions le long des quais sans demander l'autorisation de personne et sans rien laisser derrière nous. Et nous pouvions même traverser la Seine et nous perdre dans d'autres quartiers, et même quitter Paris pour d'autres villes et une autre vie.

« Ils se servent de lui pour attirer dans un piège un Marocain qui vient souvent à Paris... Il n'est pas tout à fait d'accord avec eux, mais il a mis la main dans l'engrenage... Il ne peut rien leur refuser... » J'écoutais à peine ce qu'elle me disait. Il me suffisait de marcher avec elle le long des quais et d'entendre le son de sa voix. Je ne m'intéressais pas vraiment à ces comparses de l'Unic Hôtel : Chastagnier, Marciano, Duwelz, celui qu'on appelait « Georges » et qui s'appelait Rochard, ces personnes dont je m'efforce de répéter les noms pour qu'ils ne disparaissent pas tout à fait de ma mémoire.

« Et toi ? lui ai-je demandé. Tu es obligée de les fréquenter, tous ces gens ?

— Pas du tout... C'est Aghamouri qui me les a présentés. Je n'ai rien à voir avec eux.

— Même avec Rochard ? »

J'avais fait un effort pour lui poser cette question. Ce Rochard qu'on appelait « Georges » m'était indifférent, comme les autres.

« Je lui ai simplement demandé un petit service... C'est tout...

— Et tu t'appelles toujours Dannie sur tes faux papiers ?

113

— Ne te moque pas de moi, Jean... »

Elle m'avait pris le bras, et nous traversions le pont Royal. Je ne sais pas pourquoi j'éprouvais toujours une sensation de légèreté et un soulagement quand je franchissais la Seine vers la rive droite, sur ce pont.

Au milieu du pont, elle s'est arrêtée. Elle m'a dit :

« Faux ou vrais papiers, est-ce que tu crois que pour nous cela a vraiment de l'importance ? »

Mais non. Aucune importance. À cette époque-là, je n'étais pas sûr de mon identité, et pourquoi l'aurait-elle été plus que moi ? Encore aujourd'hui, je doute que mon extrait d'acte de naissance soit exact et j'attendrai jusqu'à la fin que l'on me donne la fiche qui a été perdue et où étaient inscrits mon vrai nom, ma vraie date de naissance, et les noms et prénoms de mes vrais parents que je n'aurai jamais connus.

Elle rapprochait son visage du mien et me chuchotait à l'oreille :

« Tu te poses toujours beaucoup trop de questions... »

Je crois qu'elle se trompait. C'est aujourd'hui, des dizaines et des dizaines d'années plus tard, que je tente de déchiffrer les signaux de morse que ce mystérieux correspondant me lance du fond du passé. Mais sur le moment je me contentais de vivre au jour le jour, sans me poser trop de questions. Et, d'ailleurs, à celles que je lui ai posées — elles n'étaient pas nombreuses et formulées sans beaucoup d'insistance —, elle ne m'a jamais répondu. Sauf un soir, à demi-mot. Je n'ai appris que vingt ans après, grâce au dossier que m'avait communiqué ce Langlais, dans quelle « sale histoire elle s'était embarquée », selon l'expression d'Aghamouri. Il m'avait même précisé : « Quelque chose de grave. » Oui, en effet, c'était grave. Il y avait eu quand même mort d'homme.

Ce soir, j'ai feuilleté le dossier de Langlais et je suis de nouveau tombé sur l'une des pages de papier pelure où figurent des détails très précis que je recopie : « Deux projectiles ont atteint la victime. L'un des deux projectiles a été tiré à bout touchant. L'autre n'a été tiré ni à bout touchant ni à courte distance... Les deux douilles correspondant aux deux balles tirées ont été retrouvées... » Mais je n'ai pas le courage de copier le reste. J'y reviendrai plus tard, un jour qu'il fera beau temps et que le soleil et le bleu du ciel dissiperont les ombres.

Nous traversions le jardin des Tuileries. Je me demande en quelle saison. Aujourd'hui, pendant que j'écris ces lignes, il me semble que nous étions en janvier. Je vois des plaques de neige dans les jardins du Carrousel, et même sur le trottoir où nous marchions, en bordure des Tuileries. Devant nous, les lampadaires, sous les arcades de la rue de Rivoli, sont enveloppés d'un halo de brume. Et pourtant, j'ai un doute : ce pourrait être au début de l'automne.

Les arbres des Tuileries ont encore leurs feuilles. Ils les perdront bientôt, mais l'automne n'évoque pas pour moi la fin de quelque chose. Je crois que l'année commence au mois d'octobre. Hiver. Automne. Les saisons varient et se confondent dans le souvenir comme si celui-ci, au cours des années, vivait de sa propre vie, d'une vie végétale, et qu'il n'était jamais une image fixe et morte. Oui, les saisons se mêlent souvent les unes aux autres : le printemps de l'hiver, l'été indien... Quand nous sommes arrivés sous les arcades, la pluie tombait, une pluie très forte, ou plutôt l'une de ces averses qui vous surprennent en été.

« Est-ce que tu crois que j'ai vraiment une tête à m'embarquer dans une sale histoire ? »

Elle me tendait son visage, comme si elle voulait que je l'examine attentivement, et elle me regardait dans les yeux, d'un regard d'une telle franchise...

« Si je m'étais embarquée dans une sale histoire, je te le dirais... »

Cette phrase, je l'entends encore la nuit, aux heures d'insomnie. Je l'avais notée dans mon carnet noir. Je devais quand même avoir un soupçon, un vague pressentiment pour l'avoir écrite là, noir sur blanc. Pourquoi ne m'a-t-elle rien dit ? Ou alors, à demi-mot, un soir que nous sortions de la gare de Lyon, et sur le moment je n'y avais pas prêté beaucoup d'attention. Peut-être évitait-elle de me faire peur, mais alors elle me connaissait mal. Je ne sais plus quel moraliste que je lisais du temps de la rue de l'Aude affirmait qu'il faut toujours prendre les gens qu'on aime tels qu'ils sont, et surtout ne pas leur demander de comptes.

« Tu sais, m'a-t-elle dit, je vais bientôt couper les ponts avec les toquards de l'Unic Hôtel. »

Elle soignait son vocabulaire, et même sa diction, mais de temps en temps elle employait des mots d'argot dont certains m'étaient inconnus et que je notais dans mon carnet noir : Bahut, la chtourbe, les bourres, à dache. J'ai retrouvé aussi, sur l'une des pages du carnet noir, écrit entre guillemets, « les toquards de l'Unic Hôtel », et je me demande si je ne pensais pas m'en servir à l'époque pour un titre de roman.

« Tu as raison, lui ai-je dit. Tu peux toujours compter sur ceux qui t'écrivent poste restante. »

J'avais mis dans ces mots une ironie que j'ai regrettée aussitôt. Mais, après tout, c'était elle qui avait commencé en prononçant d'un ton moqueur « les toquards de l'Unic Hôtel ».

Elle avait l'air triste brusquement.

« C'est surtout mon frère qui m'écrit poste restante... »

Elle l'avait dit très vite, d'une voix rauque que je ne lui connaissais pas, et il y avait tant de franchise dans cet aveu que je m'en suis voulu d'avoir douté jusque-là de l'existence d'un frère qu'elle refusait de me présenter.

Poste restante. Dans le dossier de ce Langlais, il y avait une feuille d'un papier blanc sale qui ressemblait à une fiche d'état civil. Ce soir, je l'examine de nouveau en espérant qu'elle finira par me livrer son secret : sur la mauvaise Photomaton agrafée du côté gauche, je reconnais Dannie avec des cheveux plus courts. Et pourtant la fiche est au nom d'une certaine Mireille Sampierry, demeurant à Paris 9e, 23, rue Blanche. Elle date de l'année qui avait précédé notre rencontre et porte la mention : « Certificat d'une autorisation de réception sans surtaxe des correspondances poste restante et télégraphe restant. » Et pourtant, il ne s'agit pas du bureau de poste de la rue de la Convention où je l'avais accompagnée à plusieurs reprises mais du « bureau n° 84 », 31, rue Ballu (9e). Dans combien de postes restantes se faisait-elle envoyer son courrier ? Comment cette fiche était-elle tombée entre les mains de Langlais ou des membres de son service ? Dannie l'avait-elle oubliée quelque part ? Et ce nom, « Mireille Sampierry », Langlais ne l'avait-il pas prononcé dans son bureau du quai de Gesvres quand il m'avait interrogé ? C'est drôle, la manière dont certains détails de votre existence, invisibles sur le moment, vous sont révélés vingt ans plus tard, comme lorsque vous regardez à la loupe une vieille photo familière et qu'un visage ou un objet, que vous n'aviez pas remarqué jusque-là, vous saute aux yeux...

Elle m'entraînait à droite sous les arcades de la rue de Castiglione.

« Je t'invite à dîner... Ce n'est pas trop loin... On peut y aller à pied... »

À cette heure-là, le quartier était désert et le bruit de nos pas résonnait sous les arcades. Il régnait autour de nous un tel silence qu'il ne pouvait plus être troublé par le passage d'une voiture mais par le claquement des sabots d'un cheval de fiacre. Je ne sais pas si j'ai pensé cela sur le moment ou si l'idée me vient aujourd'hui en écrivant ces lignes. Nous étions perdus dans le Paris nocturne de Charles Cros et de son chien Satin, de Tristan Corbière, et même de Jeanne Duval. À l'opéra, les voitures circulaient et, de nouveau, nous étions dans le Paris du XXe siècle qui me semble si lointain, aujourd'hui... Nous suivions la Chaussée d'Antin avec, tout au bout, la façade sombre de l'église, comme un oiseau géant au repos.

« Nous sommes presque arrivés, m'a-t-elle dit. C'est au début de la rue Blanche... »

La nuit dernière, j'ai rêvé que nous prenions le même chemin, sans doute à cause de ce que je venais d'écrire. J'entendais sa voix : « C'est au début de la rue Blanche », et je me tournais lentement vers elle. Je lui disais :

« Au 23 ? »

Elle n'avait pas l'air d'entendre. Nous marchions d'un pas régulier, son bras dans le mien.

« J'ai connu une fille qui s'appelait Mireille Sampierry, au 23 de la rue Blanche. »

Elle ne bronchait pas. Elle restait silencieuse comme si je n'avais rien dit ou que la distance du temps était si grande entre nous que ma voix ne pouvait pas lui parvenir.

Mais, ce soir-là, je ne connaissais pas encore ce nom, Mireille Sampierry. Nous longions le square de la Trinité.

« Tu verras... c'est un endroit que j'aime bien... J'y allais souvent quand j'habitais la rue Blanche... »

Je me souviens que par une association d'idées j'ai pensé à la baronne Blanche. J'avais pris des notes à son sujet, quelques jours aupara-vant, dans mon carnet en recopiant l'une des pages d'un livre consacré à Paris sous Louis XV : il s'agissait d'un rapport où était consigné le peu de chose que l'on savait de la vie chaotique et aventureuse de cette femme.

« Tu sais pourquoi la rue s'appelle comme ça ? lui ai-je demandé. À cause de la baronne Blanche. »

L'autre jour, elle voulait savoir ce que j'écri-vais dans mon carnet, et je lui avais lu mes notes au sujet de cette femme.

« Alors, j'ai habité dans la rue de la baronne Blanche ? » m'a-t-elle dit en souriant.

Le restaurant occupait le coin de la rue Blanche et d'une petite rue qui rejoignait l'église de la Trinité. Des rideaux étaient tirés derrière les vitres de sa façade. Elle m'a précédé comme si elle entrait dans un lieu familier. Un grand bar, tout au fond, et de chaque côté une rangée de tables rondes avec des nappes blanches. Des murs d'un rouge sombre, à cause de la lumière tamisée. Il n'y avait que deux clients — un homme et une femme — à une table près du bar, derrière lequel se tenait un homme brun d'une quarantaine d'années.

« Ah, te voilà, toi... », a-t-il dit à Dannie, comme s'il était étonné de sa présence.

Elle paraissait un peu embarrassée. Elle lui a dit :

« Je n'étais pas à Paris tous ces temps-ci... »

Il m'a salué d'un bref mouvement de tête. Elle m'a présenté.

« Un ami. »

Il nous a fait asseoir à l'une des tables, près de la porte, peut-être pour que nous soyons tranquilles, à l'écart des deux autres clients. Mais ceux-ci ne parlaient pas beaucoup, ou alors à voix basse.

« On est bien ici, m'a-t-elle dit. J'aurais dû t'y emmener avant... »

C'était la première fois que je la voyais détendue. Dans chaque endroit de Paris où je l'avais accompagnée, je remarquais toujours une pointe d'inquiétude au fond de son regard.

« J'ai habité un peu plus haut... dans un

hôtel... quand j'ai quitté l'appartement de l'avenue Félix-Faure... »

Au moment d'écrire ces lignes, je relis sur la
fiche : « Mireille Sampierry, demeurant à Paris 9ᵉ,
23, rue Blanche. » Mais le 23 n'est pas un hôtel,
je l'ai vérifié. Alors, pourquoi m'avait-elle dit
qu'elle avait habité l'hôtel? Pourquoi ce mensonge en apparence anodin? Et ce nom : Mireille
Sampierry? Trop tard maintenant pour le lui
demander, sauf dans mes rêves où les temps
se confondent et où je peux lui poser toutes les
questions grâce à ce que j'ai appris dans le
dossier de ce Langlais. Mais cela ne sert à rien.
Elle ne m'entend pas, et j'éprouve cette étrange
sensation d'absence que vous ressentez lorsque
vous rêvez à des amis morts et que vous les voyez
pourtant, dans votre rêve, si près de vous.

« Et qu'est-ce que tu as fait pendant tout ce
temps? »

Il était debout devant notre table. Il nous
avait servi deux verres de Cointreau, pensant
sans doute que l'un et l'autre nous partagions
les mêmes goûts.

« J'ai essayé de trouver du travail... »

Il se tournait vers moi et me jetait un regard
ironique, comme s'il n'était pas dupe de ce
qu'elle venait de dire et qu'il me prenait à témoin.

« Mais elle ne nous a même pas présentés.
André Falvet... »

Il me serrait la main et me souriait toujours. J'ai bredouillé :

« Jean... »

J'étais toujours gêné de me présenter et d'entrer dans la vie de quelqu'un de cette manière abrupte, presque militaire, qui exige une sorte de garde-à-vous. Pour que cela soit moins solennel, j'évitais de dire mon nom de famille.

« Et le travail, tu l'as trouvé ? »

Il n'y avait pas seulement de l'ironie dans son regard. On aurait dit qu'il s'adressait à une enfant.

« Oui... Un travail de secrétariat... avec lui... »

Elle me désignait du doigt.

« Du secrétariat ? »

Il hochait la tête d'un air faussement admiratif.

« Il y a des gens qui m'ont demandé ce que tu étais devenue. Ils m'ont même posé beaucoup de questions à ton sujet, mais tu peux être tranquille... j'ai la bouche cousue... Je leur ai dit que tu étais partie à l'étranger...

— Tu as bien fait. »

Elle regardait autour d'elle, pour vérifier sans doute que le décor n'avait pas changé. Puis elle se tournait vers moi :

« C'est très calme, ici... »

On se sentait à l'écart de tout, dans une grotte où personne ne pouvait plus avoir accès puisqu'un rideau épais de couleur rouge était tiré devant la porte d'entrée. L'homme et la femme de la table du fond avaient disparu sans que je m'en aperçoive, et nul moyen pour moi désormais de savoir qui ils étaient.

« Oui, très calme, lui a-t-il dit. Tu as oublié que c'était le jour de fermeture... »

Il s'est dirigé vers le bar et, avant de passer la porte qui devait mener aux cuisines :

« Je n'attendais personne pour dîner, ce soir... je vous préviens que ce sera à la fortune du pot... »

Elle s'est penchée vers moi, et nos fronts se touchaient. Elle m'a chuchoté :

« Il est très gentil... Il n'a rien de commun avec ceux de l'Unic Hôtel... Tu peux avoir confiance... »

Je n'ai pas compris sur le moment pourquoi elle cherchait à me rassurer. Le nom de cet homme, André Falvet, figure dans le dossier que m'avait confié Langlais, et quelle drôle d'impression chaque fois d'avoir des éclaircissements vingt ans plus tard sur des personnes que vous avez croisées... Vous déchiffrez enfin, grâce à un code secret, ce que vous avez vécu dans la confusion, sans bien le comprendre... Un trajet en voiture, la nuit, tous feux éteints, et vous aviez beau coller votre front à la vitre vous n'aviez aucun point de repère. Et d'ailleurs, est-ce que vous vous posiez vraiment beaucoup de questions sur le but du voyage ? Vingt ans après, vous suivez la même route, de jour, et vous voyez enfin tous les détails du paysage. Mais à quoi bon ? Il est trop tard, il n'y a plus personne.

André Falvet, membre de la bande Stéfani. Détenu à la Centrale de Poissy. Éleveur de chiens à Porcheville. Gérant du Carrol's Beach à La Garoupe. Restaurant La Passée, boulevard Gouvion-Saint-Cyr. Le Sévigné, rue Blanche.

« On devrait venir plus souvent ici », m'a-t-elle dit.

Nous y sommes revenus plusieurs fois. La salle n'était plus vide comme le premier soir, mais toutes les tables occupées par d'étranges clients dont je me demandais s'ils habitaient le quartier. Plusieurs d'entre eux étaient assis au bar et parlaient avec le dénommé André Falvet. Certains sont cités dans le dossier de Langlais. Des noms, de simples noms que je recopierais bien ici, à tout hasard, mais je n'en ai pas le courage. Je le ferai plus tard, par acquit de conscience. On ne sait jamais, il faut toujours lancer des signaux. La lumière était un peu voilée, comme si les ampoules n'avaient pas un voltage suffisant. À moins que le dénommé Falvet n'eût cherché à rendre l'atmosphère plus intime. Après avoir écrit cela, j'ai un doute. Cette lumière est la même que celle de l'appartement de l'avenue Félix-Faure où elle m'avait entraîné un soir, la même aussi que celle de la maison de campagne La Barberie, à Feuilleuse, quand la nuit était tombée. On dirait que les lampes se sont usées avec le temps. Mais quelquefois un déclic se produit. Hier, j'étais seul dans la rue et un voile se déchirait. Plus de passé, plus de présent, un temps immobile. Tout avait retrouvé sa vraie lumière. Il était environ huit heures du soir en été et il y avait encore du soleil au bas de la rue Blanche. On avait disposé deux ou trois tables sur le trottoir, devant le restaurant. La porte de celui-ci était grande ouverte sur la rue, et l'on entendait venant de la salle un brouhaha de conversations. Nous étions assis dehors à l'une des tables, Dannie et moi. Le soleil nous faisait cligner des yeux.

« Il faudrait que je te montre l'hôtel où j'habitais, un peu plus haut, me disait-elle.

— Au 23 ?

— Oui. Au 23. »

Et elle ne paraissait pas étonnée que je connaisse le numéro.

« Mais ce n'est pas un hôtel. »

Elle ne répondait pas, et cela n'avait aucune importance. Elle voulait que nous marchions dans le quartier avant la tombée de la nuit. Mais nous avions tout le temps devant nous. Grâce à l'heure d'été, il ferait encore jour à dix heures du soir. Et je pensais même que ce serait une nuit blanche.

Tout à l'heure, je me trouvais dans une librairie, rue de l'Odéon. La nuit était déjà tombée. J'avais découvert, sur les rayonnages des livres d'occasion, un roman à la reliure rouge sale dont le titre était : *Finis les rêves.* Le libraire, à son bureau, venait de glisser le volume dans un sac de plastique blanc et me le tendait lorsqu'une femme est entrée. Elle n'avait pas refermé derrière elle la porte vitrée, comme si elle ne voulait pas s'attarder. Une mulâtresse de mon âge, grande, vêtue d'un vieux manteau couleur rouille dont la ceinture pendait. Elle portait un cabas. Elle s'est dirigée vers nous et a posé son cabas sur le bureau du libraire.

« Vous achetez des livres ? »

Elle avait posé la question d'une manière abrupte et avec l'accent des anciens faubourgs de Paris.

« Ça dépend, a dit le libraire.

— C'est une vieille dame qui m'envoie... Je travaille chez elle... »

Elle a sorti les livres de son cabas : livres d'art, volumes de la collection de la Pléiade... Un collier et une broche étaient accrochés à l'un d'eux, et elle les a remis dans le cabas. Elle faisait chaque fois un mouvement brusque et quelques billets de banque se sont échappés. Elle les a ramassés et fourrés dans une poche de son manteau.

« Et cette vieille dame habite dans le quartier ? a demandé le libraire.

— Non... Non... Elle habite dans le dix-septième arrondissement. C'est ma patronne...

— Il faudrait que vous me donniez son adresse, a dit le libraire.

— Pourquoi son adresse ? »

Elle était agressive, brusquement. Ce collier, cette broche et ces billets de banque parmi les livres donnaient l'impression d'un cambriolage fait à la hâte. Les livres étaient empilés sur le bureau.

« Alors, vous ne voulez pas les prendre ?

— Pas maintenant », a dit le libraire.

Elle les jetait, un à un, d'un geste furieux dans le cabas. Le libraire regardait leurs couvertures comme pour y repérer des taches de sang. Peut-être pensait-il qu'elle avait assassiné la vieille qu'elle appelait « sa patronne ».

Elle a haussé les épaules et elle est sortie sans refermer la porte derrière elle. De peur qu'elle ne disparaisse, je lui ai aussitôt emboîté le pas.

Dès que je l'avais vue dans la librairie, je m'étais dit qu'elle était la réincarnation de Jeanne Duval, ou Jeanne Duval elle-même. Sa haute taille, son accent parisien et le cabas où elle avait entassé des livres, des bijoux et des billets de banque correspondaient bien aux rares détails que j'avais lus sur elle et que j'avais notés autrefois dans mon carnet noir. Elle marchait à une dizaine de mètres devant moi et elle boitait légèrement. J'aurais pu la rattraper, mais je préférais la suivre à distance pour bien me persuader que c'était elle. La ceinture de son manteau pendait des deux côtés, elle portait le cabas de la main gauche, et le poids de celui-ci lui faisait incliner le buste de côté. Les réverbères, aux façades des immeubles de la rue, n'avaient pas changé depuis le XIXe siècle et l'éclairaient à peine. J'avais peur de la perdre de vue. Au carrefour de l'Odéon, elle se dirigeait vers la bouche du métro. J'avais accéléré le pas. Au moment où elle s'apprêtait à descendre l'escalier, j'ai crié :

« Jeanne... »

Elle s'est retournée. Elle m'a jeté un regard inquiet, comme si je l'avais surprise en flagrant délit. Un moment, nous sommes restés immobiles l'un et l'autre à nous observer. J'ai voulu m'avancer vers elle et l'accompagner sur le quai du métro en lui portant son cabas. Impossible de bouger. Mes jambes avaient une lourdeur de plomb, ce qui m'arrive souvent dans les rêves.

Puis elle a descendu très vite l'escalier. Elle craignait sans doute que je ne la suive. Elle devait me prendre pour un flic en civil. Sous l'émotion, je me suis assis au pied de la statue de Danton. Elle avait dit au libraire que « sa patronne » habitait dans le dix-septième arrondissement. Mais oui, cela correspondait au dernier témoignage que j'avais lu sur elle. On n'avait jamais su à quelle date elle était morte, et je m'étais demandé si vraiment elle était morte. Et d'ailleurs, on ne savait même pas la date de sa naissance. Son ombre demeurait encore très présente dans certains quartiers de Paris. Le dernier témoin, qui l'avait identifiée parce qu'il habitait près de chez elle, avait déclaré que son domicile était au 17 de la rue Sauffroy. C'était bien au fond du dix-septième arrondissement. Un long parcours en métro. De l'Odéon, elle changerait à Sèvres-Babylone. Puis à Saint-Lazare. Elle descendrait à Brochant. Je me promettais d'aller un jour rue Sauffroy. Au moins, j'avais un vague point de repère. Mais je ne pouvais pas en dire autant concernant les personnes que j'avais connues à une époque plus proche que celle de Jeanne Duval et qui étaient mentionnées comme elle sur mon carnet noir. J'ignorais ce qu'elles étaient devenues. Je crois que ceux que Dannie appelait « les toquards de l'Unic Hôtel » étaient morts, en tout cas « Georges », alias Rochard, et Paul Chastagnier. J'en suis moins sûr pour Duwelz et

Gérard Marciano. Je n'avais jamais plus eu de nouvelles d'Aghamouri. Et Dannie avait disparu définitivement. J'avais pourtant dressé sur la dernière page du carnet noir la liste de certains détails dont je me souvenais et qui auraient dû me mettre sur sa piste. J'y avais ajouté les autres détails que je ne connaissais pas et que j'avais appris en feuilletant les pages du dossier de Langlais. Pourtant, mes recherches étaient demeurées vaines et j'avais fini au bout d'un certain temps par les abandonner. Je ne me faisais plus beaucoup d'illusions. Tout cela, un jour ou l'autre, tomberait dans l'oubli.

*

Depuis que j'écris ces pages, je me dis qu'il y a un moyen, justement, de lutter contre l'oubli. C'est d'aller dans certaines zones de Paris où vous n'êtes pas retourné depuis trente, quarante ans et d'y rester un après-midi, comme si vous faisiez le guet. Peut-être celles et ceux dont vous vous demandez ce qu'ils sont devenus surgiront au coin d'une rue, ou dans l'allée d'un parc, ou sortiront de l'un des immeubles qui bordent ces impasses désertes que l'on nomme « square » ou « villa ». Ils vivent de leur vie secrète, et cela n'est possible pour eux que dans des endroits silencieux, loin du centre. Pourtant, les rares fois où j'ai cru reconnaître Dannie, c'était toujours dans la foule. Un soir, gare de Lyon, quand je devais prendre un train, au milieu de la cohue des départs en vacances. Un samedi de fin d'après-midi, au carrefour du boulevard et de la Chaussée d'Antin dans le flot de ceux qui se pressaient aux portes des grands magasins. Mais, chaque fois, je m'étais trompé.

Un matin d'hiver, il y a vingt ans, j'avais été convoqué au tribunal d'instance du treizième arrondissement, et vers onze heures, à la sortie du tribunal, j'étais sur le trottoir de la place d'Italie. Je n'étais pas revenu sur cette place depuis le printemps de 1964, une période où je fréquentais le quartier. Je me suis aperçu brusquement que je n'avais pas un sou en poche pour prendre un taxi ou le métro et rentrer chez moi. J'ai trouvé un distributeur de billets dans une petite rue derrière la mairie, mais après avoir composé le code une fiche est tombée à la place des billets. Il y était écrit : « Désolé. Vos droits sont insuffisants. » De nouveau, j'ai composé le code, et la même fiche est tombée avec la même inscription : « Désolé. Vos droits sont insuffisants. » J'ai fait le tour de la mairie et de nouveau j'étais sur le trottoir de la place d'Italie.

Le destin voulait me retenir par ici et il ne fallait pas le contrarier. Peut-être ne parviendrais-je plus jamais à quitter le quartier, puisque mes droits étaient insuffisants. Je me sentais léger à cause du soleil et du ciel bleu de janvier.

Les gratte-ciel n'existaient pas en 1964, mais ils se dissipaient peu à peu dans l'air limpide pour laisser place au café du Clair de lune et aux maisons basses du boulevard de la Gare. Je glisserais dans un temps parallèle où personne ne pourrait plus m'atteindre.

Les paulownias aux fleurs mauves de la place d'Italie... Je me répétais cette phrase et je dois avouer qu'elle me faisait monter les larmes aux yeux, ou bien était-ce le froid de l'hiver ? En somme, j'étais revenu au point de départ et, si les distributeurs de billets avaient existé vers 1964, la fiche aurait été la même pour moi : Droits insuffisants. Je n'avais à cette époque aucun droit ni aucune légitimité. Pas de famille ni de milieu social bien défini. Je flottais dans l'air de Paris.

Je marchais en direction de ce qui avait été l'emplacement du Clair de lune. On restait assis pendant des heures aux tables du fond, près de l'estrade des musiciens, sans consommer. Je faisais le tour de la place. Il faudrait que je prenne une chambre dans un petit hôtel, peut-être le Coypel s'il existait encore, ou un autre dont j'avais oublié le nom du côté des Gobelins. J'étais arrivé à l'angle de l'avenue de la Sœur-Rosalie et je marchais de nouveau vers la mairie en me demandant jusqu'à quand j'allais tourner sur la place comme si elle était un champ magnétique qui me retenait. Je me suis arrêté devant la terrasse d'un café. Un homme d'un certain âge était assis à une table, derrière la vitre, et m'observait. Et moi aussi je ne le quittais pas du regard. Son visage me rappelait quelqu'un. Des traits assez réguliers. Des cheveux gris — ou blancs — coiffés en brosse longue. Il m'a fait un signe du bras. Il voulait que je vienne le rejoindre dans le café.

Il s'est levé à mon approche et m'a tendu la main.

« Langlais. Vous me remettez ? »

J'ai eu un moment d'hésitation. C'est sans doute sa raideur militaire et le « vous me remettez » qui m'ont aidé à l'identifier. Et puis on n'oublie jamais les visages de ceux que l'on a croisés à une période difficile de sa vie.

« Le quai de Gesvres... »

Il a paru surpris que je lui dise cela :

« Je vois que vous avez beaucoup de mémoire... »

Il s'est assis et m'a fait signe de prendre place sur la chaise en face de lui.

« Je vous ai suivi de loin depuis tout ce temps, m'a-t-il dit. J'ai même lu votre dernier livre sur cette... Jeanne Duval... »

Je ne savais pas trop quoi lui répondre. J'ai répété :

« Vous m'avez suivi ? »

Il a souri, et je me suis souvenu qu'il m'avait témoigné autrefois une certaine bienveillance.

« Oui... je vous ai suivi... C'était un peu mon métier... »

Il m'observait en fronçant les sourcils, comme au siècle dernier dans son bureau du quai de Gesvres. À part les cheveux gris coiffés en brosse longue, il n'avait pas beaucoup changé. Il ne faisait pas très chaud sur cette terrasse vitrée et il avait gardé sur lui une gabardine qui aurait pu dater de l'époque lointaine où il m'avait interrogé.

« Je suppose que vous n'habitez pas le quartier... sinon, je vous aurais rencontré...

— Non, je n'habite pas le quartier, lui ai-je dit. Et je n'y étais pas retourné depuis une éternité... depuis l'époque du quai de Gesvres...

— Vous voulez boire quelque chose ? »

Le garçon se tenait devant notre table. J'ai failli commander un Cointreau, en souvenir de Dannie, mais je n'avais pas un sou en poche et j'étais vraiment gêné de me faire inviter.

« Oh... ça ira comme ça, ai-je bredouillé.

— Mais si... Prenez quelque chose...

— Un expresso.

— La même chose pour moi », a dit Langlais.

Un silence entre nous. C'était à moi de le rompre :

« Vous habitez dans le quartier ?

— Oui. Depuis toujours.

— Moi aussi, quand j'étais jeune, j'ai bien connu le quartier... Vous vous rappelez le Clair de lune ?

— Bien sûr. Mais qu'est-ce que vous faisiez au Clair de lune ? »

Le ton était le même que celui qu'il avait pris pour m'interroger autrefois. Il me souriait.

« Vous n'êtes pas obligé de répondre. Nous ne sommes plus dans mon bureau... »

Derrière la vitre de la terrasse, je voyais une partie de la place d'Italie qui n'avait pas changé sous le soleil et le bleu du ciel. J'avais l'impression qu'il m'avait interrogé la veille. Je lui ai souri.

« Et quand voulez-vous reprendre l'interrogatoire ? » lui ai-je demandé.

Lui aussi, j'en étais sûr, avait la même impression que moi. Le temps était aboli. Il ne s'était pas écoulé plus d'une journée entre le quai de Gesvres et la place d'Italie.

« C'est drôle, m'a-t-il dit. À plusieurs reprises, j'ai voulu reprendre contact avec vous... J'ai même téléphoné une fois à votre maison d'édition, mais ils n'ont pas voulu me donner votre adresse. »

Il se penchait vers moi et plissait les yeux.

« Remarquez... j'aurais pu moi-même trouver votre adresse... C'était mon métier... »

Il avait de nouveau le ton sec du quai de Gesvres. Je ne savais plus s'il plaisantait.

« Seulement, j'avais peur de vous importuner... et de vous gêner par ma démarche... »

Il hochait la tête comme s'il hésitait à me dire quelque chose. J'attendais, les bras croisés. Il me semblait brusquement que les rôles étaient inversés et que c'était moi qui me tenais derrière

son bureau et qui allais commencer l'interrogatoire.

« Voilà... quand j'ai pris ma retraite, j'ai gardé
deux ou trois dossiers en souvenir... et, parmi
eux, le dossier de ceux à cause de qui vous aviez
été interrogé dans mon service, quai de
Gesvres... »

Il était gêné, presque timide, comme s'il
m'avait fait un aveu compromettant qui risquait
de me choquer.

« Si cela vous intéresse... »

Je me suis demandé si je rêvais ou non.
Un homme venait de s'asseoir à l'une des tables
de la terrasse, tout au fond, et il composait de
l'index un numéro sur son téléphone portable.
La vue de cet objet m'a confirmé qu'il ne s'agissait pas d'un rêve et que nous nous trouvions
l'un et l'autre, au présent, dans le monde réel.

« Bien sûr que cela m'intéresse, lui ai-je dit.

— Voilà pourquoi je voulais connaître votre
adresse... Je pensais vous envoyer tout ça par la
poste...

— De drôles de gens, lui ai-je dit. J'y pense
souvent en ce moment... »

J'avais envie de lui expliquer pourquoi ce dossier qui datait de presque un demi-siècle m'inté-
ressait. Vous avez vécu une courte période
de votre vie — au jour le jour sans vous poser de
questions — dans d'étranges circonstances,
parmi des personnes étranges elles aussi. Et
c'est beaucoup plus tard que vous pouvez enfin

comprendre ce que vous avez vécu et qui étaient au juste ces personnes de votre entourage, à condition que l'on vous donne enfin le moyen de démêler un langage chiffré. La plupart des gens ne sont pas dans ce cas-là : leurs souvenirs sont simples, de plain-pied, et se suffisent à eux-mêmes, et ils n'ont pas besoin de dizaines et de dizaines d'années pour les élucider.

« Je comprends, m'a-t-il dit, comme s'il avait deviné mes pensées. Ce dossier, ce sera un peu pour vous une bombe à retardement... »

Il a consulté le ticket. J'étais vraiment gêné de ne pas pouvoir l'inviter. Mais je n'osais pas lui confier que ce matin-là mes droits étaient insuffisants.

Dehors, sur le trottoir de la place, nous étions immobiles et silencieux, Langlais et moi. Apparemment, il ne voulait pas me quitter tout de suite.

« Je peux vous donner ce dossier en main propre... Pas besoin de vous l'envoyer par la poste... j'habite tout près d'ici...

— C'est très gentil à vous », lui ai-je dit.

Nous avons fait le tour de la place, et il m'a montré du doigt un gratte-ciel au coin de l'avenue de Choisy.

« C'était là que se trouvait le Clair de lune, m'a-t-il dit en me désignant le bas du gratte-ciel. Mon père m'y emmenait souvent... Il connaissait la patronne... »

Nous nous engagions dans l'avenue de Choisy.

« J'habite un peu plus bas... Soyez tranquille... Je ne veux pas vous faire marcher des kilomètres... »

Nous arrivions à la hauteur du square de Choisy. Je me souvenais bien de ce square qui ressemblait plutôt à un parc, du grand bâtiment en briques rouges que l'on appelait l'Institut dentaire et du lycée de filles, tout au fond. De l'autre côté de l'avenue, après les gratte-ciel, des maisons basses telles que je les avais connues. Mais pour combien de temps encore ? Langlais s'était arrêté devant un petit immeuble qui faisait le coin d'une impasse et au rez-de-chaussée duquel il y avait un restaurant chinois.

« Je ne vous fais pas monter chez moi... j'aurais honte... c'est le désordre là-haut... j'en ai pour un instant... »

Seul sur le trottoir, je contemplais les arbres dénudés du square de Choisy et, là-bas, la masse rouge sombre de l'Institut dentaire. Ce bâtiment m'avait toujours semblé insolite dans le parc. Mes souvenirs du square de Choisy n'étaient pas des souvenirs d'hiver, mais de printemps ou d'été quand les feuillages des arbres contrastaient avec le rouge sombre de l'Institut.

« À quoi vous rêviez ? »

Je ne l'avais pas entendu venir. Il tenait à la main une chemise de plastique jaune. Il me la tendait.

« Tenez... votre dossier... Il est assez mince, mais il pourra vous intéresser... »

Nous hésitions l'un et l'autre à nous quitter. J'aurais voulu l'inviter à déjeuner.

« Ne m'en voulez pas si je ne vous ai pas reçu là-haut... c'est un minuscule appartement qu'habitaient déjà mes parents... Le seul avantage, c'est la vue sur tous les arbres... »

Et il me désignait l'entrée du square de Choisy.

« Nous parlions tout à l'heure du Clair de lune... La patronne a été assassinée là-bas, dans le square... Vous voyez... le bâtiment en briques rouges... l'Institut dentaire... »

Il était absorbé par un souvenir douloureux.

« Ils l'ont emmenée à l'Institut... Ils l'ont poussée contre un mur et ils l'ont fusillée dans le dos... Et après ils se sont aperçus qu'ils avaient commis une erreur... »

Avait-il vu la scène de la fenêtre de son appartement?

« Ça se passait à la Libération de Paris... Tout un groupe s'était installé à l'Institut dentaire... de faux résistants... le capitaine Bernard et le capitaine Manu... et un lieutenant dont j'ai oublié le nom... »

J'ignorais ces détails quand je traversais le square de Choisy, autrefois, pour attendre à la sortie du lycée une amie d'enfance.

« Il ne faut pas trop remuer le passé. Et je me demande si j'ai eu raison de vous donner ce dossier... Vous avez revu la fille? Celle qui portait plusieurs noms? »

Je n'ai pas compris tout de suite à qui il faisait allusion.

« Celle à cause de qui je vous avais interrogé quai de Gesvres. Vous l'appeliez comment, vous?

— Dannie.

— En réalité, elle s'appelait Dominique Roger. Mais elle avait d'autres noms. »

Dominique Roger. C'était peut-être sous ce nom-là qu'elle allait chercher ses lettres à la poste restante. Je n'avais jamais pu voir le nom sur les enveloppes. Elle fourrait tout de suite les lettres dans la poche de son manteau après les avoir lues.

« Vous l'avez peut-être connue sous le nom de Mireille Sampierry? m'a demandé Langlais.

— Non. »

Il écartait les bras et me considérait d'un regard plein de compassion.

« Vous croyez qu'elle est encore vivante? lui ai-je demandé.

— Vous désirez vraiment le savoir? »

Je ne m'étais jamais posé la question d'une manière aussi précise. Si j'étais honnête avec moi-même, je pouvais lui répondre : Non. Pas vraiment.

« À quoi bon? m'a-t-il dit. Il ne faut pas forcer les choses. Un jour, peut-être, vous la croiserez dans la rue. Nous nous sommes bien retrouvés tous les deux... »

J'avais ouvert la chemise de plastique jaune. À vue d'œil, elle contenait une dizaine de feuillets.

« Il vaut mieux que vous lisiez tout cela à tête reposée... Si vous avez besoin d'explications, faites-moi signe. »

Il fouillait dans la poche intérieure de sa veste et me donnait une toute petite carte de visite où était écrit : Langlais, 159, avenue de Choisy, avec un numéro de téléphone.

Après avoir fait quelques pas, je me suis retourné. Il n'était pas rentré chez lui. Il demeurait là, au milieu du trottoir, à m'observer de loin. Il me suivrait certainement du regard jusqu'à ce que je disparaisse au bout de l'avenue. Quand il exerçait son métier, il avait dû souvent faire le guet par des journées d'hiver, comme ce jour-là, ou même des nuits, les deux mains enfoncées dans les poches de sa gabardine.

« Il ne faut pas remuer le passé », m'avait dit Langlais au moment où nous nous quittions, mais cette matinée d'hiver-là il me restait à faire une longue marche pour rentrer chez moi à l'autre bout de Paris. Était-ce vraiment un hasard si je m'étais retrouvé place d'Italie après plus de vingt ans et que soit tombée du distributeur de billets la fiche : « Désolé. Vos droits sont insuffisants » ? Désolé de quoi ? J'étais heureux, ce matin-là, et léger. Rien dans les poches. Et cette longue marche d'un pas égal, avec des pauses sur les bancs... Je regrettais de n'avoir pas mon carnet noir. J'y avais répertorié les bancs de Paris le long de différents trajets : nord-sud, ouest-est, ces bancs qui marquaient, chaque fois, une étape où l'on pouvait se reposer un moment, et rêver. Je ne voyais plus très bien la différence entre le passé et le présent. J'avais atteint les Gobelins. Depuis ma jeunesse — et même mon enfance —, je n'avais fait que marcher, et toujours dans les mêmes rues, si bien que le temps était devenu transparent.

J'ai traversé le Jardin des Plantes et je me suis assis sur un banc de l'allée centrale. De rares passants, à cause du froid. Mais il y avait toujours du soleil, et le bleu du ciel me confirmait que le temps s'était arrêté. Il suffisait de demeurer là jusqu'à la tombée de la nuit et de scruter le ciel pour y découvrir de rares étoiles auxquelles je donnerais des noms sans savoir vraiment si c'était les leurs. Et des passages entiers me reviendraient en mémoire, de mon livre de chevet, à l'époque de la rue de l'Aude : *L'Éternité par les astres*. Cette lecture m'aidait à attendre Dannie. Il faisait aussi froid à cette époque que sur ce banc du Jardin des Plantes, et la rue de l'Aude était recouverte de neige. Mais, en dépit du froid, j'ai feuilleté les pages que contenait la chemise de plastique jaune. Une lettre y était jointe, signée par Langlais et que je n'avais pas remarquée quand j'avais entrouvert tout à l'heure cette chemise jaune et qu'il m'avait dit : « Il vaut mieux que vous lisiez tout cela à tête reposée. » Une lettre écrite à la hâte — elle était à peine lisible — dans son appartement, avant de descendre pour me rejoindre avec le dossier.

Cher Monsieur,

J'ai pris ma retraite il y a dix ans, de sorte que j'ai encore travaillé longtemps dans les services du quai de Gesvres et du quai des Orfèvres pendant que vous écriviez vos livres, que j'ai lus avec une attention soutenue.

Je me souvenais bien sûr de votre passage dans mon bureau quai de Gesvres pour un interrogatoire, quand vous étiez très jeune. J'ai la mémoire des visages. On me plaisantait souvent là-dessus en disant que je pouvais reconnaître, après dix ans, quelqu'un de dos, ne l'ayant croisé qu'une seule fois dans la rue.

En quittant définitivement mon service, je me suis permis de prendre dans les archives de l'ancienne Mondaine quelques souvenirs de mon travail et, parmi eux, ce dossier incomplet vous concernant que j'ai toujours voulu vous communiquer. Le jour est venu, grâce à notre rencontre d'aujourd'hui.

Comptez sur ma discrétion. D'ailleurs, je crois que vous avez écrit quelque part que nous vivons à la merci de certains silences.

Bien amicalement.

LANGLAIS

P.-S. : Pour vous rassurer tout à fait : l'enquête dont vous avez ici certaines pièces a été définitivement abandonnée.

À mesure que je feuilletais le dossier, je tombais sur des fiches d'état civil, des rapports, des procès-verbaux d'interrogatoire. Des noms me sautaient aux yeux : « Aghamouri, Ghali, pavillon du Maroc, Cité universitaire, né le 6 juin

1938 à Fez. Prétendu "étudiant", membre des services de la sûreté marocaine. Ambassade du Maroc... Georges B., dit "Rochard", cheveux châtain moyen, nez rectiligne, saillie grande. Prière aviser ma Direction, TURBIGO 92.00 pour renseignements supplémentaires... Devant nous a comparu la personne ci-après nommée Duwelz, prénom et surnom : Pierre. Lecture faite par l'inculpé, persiste et signe... Chastagnier, Paul, Emmanuel. Taille 1,80 m. Utilise la voiture Lancia n° 1934 GD 75... Marciano Gérard. Signalement : cicatrice de 2 cm externe sourcil gauche... » Je tournais les pages très vite, évitant de m'attarder sur l'une d'elles et craignant chaque fois de découvrir un nouveau détail ou une fiche concernant Dannie. « Dominique Roger dite "Dannie". Sous le nom de Mireille Sampierry (23, rue Blanche), alias Michèle Aghamouri, alias Jeannine de Chillaud... D'après renseignements de Davin, elle habiterait à l'Unic Hôtel sous le nom de Jeannine de Chillaud, née à Casablanca, le... Elle se faisait adresser son courrier poste restante comme en témoigne la carte d'abonnement ci-jointe délivrée par le bureau 84 Paris. »

Et au bas des pages retenues par un trombone :

« Deux projectiles ont atteint la victime. L'un des deux projectiles a été tiré à bout touchant... Les deux douilles correspondant aux deux balles tirées ont été retrouvées. Le concierge du 46ᵇⁱˢ quai Henri-IV... »

Un soir, nous étions descendus d'un train, Dannie et moi, à la gare de Lyon. Je crois que nous revenions de cette maison de campagne qui s'appelait La Barberie. Nous n'avions pas de bagages. Il y avait foule dans le hall, c'était l'été et, si j'ai bonne mémoire, le premier jour des grandes vacances. À la sortie de la gare, nous n'avons pas pris le métro. Ce soir-là, elle ne voulait pas retourner à l'Unic Hôtel, et nous avions décidé de marcher jusque chez moi, rue de l'Aude. Au moment de franchir la Seine, elle m'a dit :

« Ça ne te dérange pas si on fait un détour ? »

Elle m'a entraîné le long des quais, vers l'île Saint-Louis. Paris était désert comme souvent les soirs d'été, et cela contrastait avec la foule de la gare de Lyon. Très peu de circulation. Un sentiment de légèreté et de vacance. J'avais écrit ce dernier mot au singulier et en grands caractères sur mon carnet noir, avec une date : 1ᵉʳ juillet, la date de ce soir-là. J'y avais même ajouté la définition de « vacance » telle que je l'avais lue dans un dictionnaire : « Caractère de ce qui est vacant, disponible. »

Nous suivions le quai Henri-IV dont il est question justement, au bas de cette page du dossier de Langlais, une page où il est bien spécifié qu'il y a eu « mort d'homme ». Elle s'est arrêtée devant l'un des derniers immeubles, le 46ᵇⁱˢ, le même numéro qui figure sur la page — je l'avais vérifié le jour où j'avais rencontré Langlais, vingt ans plus tard. Ce jour-là, il m'avait suffi de traverser le pont, depuis le Jardin des Plantes.

Elle s'est dirigée vers la porte cochère et a hésité un moment :

« Tu me rendrais un service ? »

Elle parlait d'une voix mal assurée, comme si elle se trouvait dans une zone dangereuse où l'on pouvait la surprendre.

« Tu sonnes à la porte du rez-de-chaussée gauche et tu demandes Mme Dorme. »

Elle regardait les fenêtres du rez-de-chaussée dont les volets métalliques étaient fermés. Par les interstices filtrait une vague lumière.

« Tu vois de la lumière ? m'a-t-elle dit à voix basse.

— Oui.

— Si tu tombes sur Mme Dorme, tu lui demandes quand Dannie pourrait lui téléphoner. »

Elle paraissait tendue et peut-être regrettait-elle son initiative. Je crois qu'elle était sur le point de me retenir.

« Je t'attends sur le pont. Il vaut mieux que je ne reste pas devant l'immeuble. »

Et elle me désignait le pont qui coupe le bout de l'île Saint-Louis.

J'ai franchi le porche et me suis arrêté à gauche, devant une double porte massive en bois clair. J'ai sonné. Personne ne venait ouvrir.

Je n'entendais aucun bruit derrière la porte. Pourtant, nous avions vu de la lumière par les interstices des volets. La minuterie s'est éteinte. J'ai sonné de nouveau dans l'obscurité. Personne. Je demeurais là, à attendre dans l'obscurité. J'espérais vraiment que quelqu'un finirait par ouvrir, que le silence serait rompu et qu'il y aurait de nouveau de la lumière. À un moment, j'ai frappé des deux poings contre la porte, mais le bois était si épais que cela ne faisait pas le moindre bruit. Ai-je vraiment frappé contre la porte, ce soir-là ? J'ai si souvent rêvé à cette scène par la suite que le rêve se confond avec la vie. La nuit dernière, j'étais dans une obscurité totale, sans aucun repère et je frappais des deux poings contre une porte, comme si on m'avait enfermé. J'étouffais. Je me suis réveillé en sursaut. Oui, de nouveau le même rêve. J'ai tenté de me souvenir si j'avais frappé ainsi cette nuit d'il y a si longtemps. En tout cas, j'avais encore sonné plusieurs fois dans le noir et j'avais été surpris par le timbre à la fois cristallin et grelottant de cette sonnette. Personne. Le silence.

Je suis sorti à tâtons de l'immeuble. Elle faisait les cent pas sur le pont. Elle m'a pris le bras et l'a serré. Elle était soulagée de mon retour, et je me suis demandé si j'avais couru un danger. Je lui ai dit que personne n'était venu m'ouvrir la porte.

« Je n'aurais pas dû t'envoyer là-bas, m'a-t-elle dit. Mais il y a des moments où je crois que les choses sont toujours comme avant...

— Avant quoi ? »

Elle a haussé les épaules.

Nous avons traversé le pont et suivi le quai de la Tournelle. Elle ne disait rien, et ce n'était pas le moment de lui poser des questions. Tout était calme ici et rassurant : les façades anciennes des maisons, les arbres, les réverbères allumés, les rues étroites qui débouchaient sur le quai et m'évoquaient Restif de La Bretonne. De nombreuses pages de mon carnet noir étaient couvertes de notes le concernant. Je n'avais même pas envie de lui poser de questions. J'étais léger, insouciant, heureux de marcher cette nuit-là avec elle sur le quai et de me répéter à moi-même le nom aux consonances douces et mystérieuses de Restif de La Bretonne.

« Jean... Je voudrais te demander quelque chose... »

Nous longions cette place, en renfoncement du quai, au milieu de laquelle sont disposés des tables et des bacs de verdure délimitant la terrasse d'un café. Cette nuit-là, on avait mis des parasols aux tables. Une nuit d'été dans un petit port du Midi. Des murmures de conversation.

« Jean... Qu'est-ce que tu dirais si j'avais fait quelque chose de grave ? »

J'avoue que cette question ne m'avait pas alarmé. Peut-être à cause du ton détaché qu'elle avait pris, comme on cite les paroles d'une chanson ou les vers d'un poème. Et à cause de ce : « Jean... Qu'est-ce que tu dirais... », c'était juste-

ment un vers qui m'était revenu à la mémoire :
« ... Dis, Blaise, sommes-nous bien loin de Montmartre ? »

« Qu'est-ce que tu dirais si j'avais tué quelqu'un ? »

J'ai cru qu'elle plaisantait ou qu'elle m'avait posé cette question à cause des romans policiers qu'elle avait l'habitude de lire. C'était d'ailleurs sa seule lecture. Peut-être que dans l'un de ces romans une femme posait la même question à son fiancé.

« Ce que je dirais ? Rien. »

Aujourd'hui, j'aurais fait la même réponse. Est-ce que nous avons le droit de juger ceux que nous aimons ? Si nous les aimons, c'est bien pour quelque chose, et ce quelque chose nous défend de les juger. Non ?

« Enfin... Si je ne l'avais pas vraiment tué... Si c'était un accident...

— Tu me rassures. »

Elle semblait désappointée par cette réponse dont il m'aura fallu tant d'années pour saisir la sécheresse et le pauvre humour involontaire.

« Oui... un accident... c'est parti tout seul...

— Il y a souvent des balles perdues », lui ai-je dit.

J'avais pensé tout de suite à des coups de revolver. Je ne m'étais pas trompé, puisqu'elle m'a dit :

« Tu as raison... des balles perdues... »

J'ai éclaté de rire. Elle m'a jeté un regard de reproche. Puis elle m'a serré le bras.

« Arrêtons de parler de choses tristes... J'ai fait un mauvais rêve hier soir... j'ai rêvé que j'étais dans un appartement et que je tirais sur un type pour me défendre... un horrible type avec des paupières lourdes...

— Des paupières lourdes ?

— Oui... »

Sans doute était-elle encore perdue dans son rêve. Mais cela ne m'inquiétait pas. J'avais eu souvent la même expérience : certains rêves — ou plutôt certains cauchemars — que vous avez faits la nuit précédente, vous les traînez pendant toute la journée. Ils se mêlent à vos gestes les plus quotidiens, et vous avez beau vous trouver avec des amis, au soleil, à la terrasse d'un café, ils vous poursuivent par bribes et se collent à votre vie réelle, comme une sorte d'écho ou de brouillage dont vous ne pouvez plus vous débarrasser. Parfois cette confusion est due au manque de sommeil. J'avais envie de le lui dire pour la rassurer. Nous étions arrivés à la hauteur de Saint-Julien-le-Pauvre. Devant la librairie américaine, les bancs et les chaises avaient été disposés comme sur une terrasse, et une dizaine de personnes étaient assises là, écoutant une musique de jazz qui venait de la librairie.

« On devrait s'asseoir avec eux, lui ai-je dit. Tu oublierais ton mauvais rêve...

— Tu crois? »

Mais nous avons continué à marcher, je ne sais plus par quel chemin. Je me souviens d'avenues silencieuses où les feuillages des platanes formaient une voûte, de rares fenêtres éclairées aux façades des immeubles, et du lion de Belfort qui montait la garde, le regard fixé vers le sud. Elle était sortie de son mauvais rêve. Nous nous sommes assis sur les marches de l'escalier à pic qui mène à la rue de l'Aude. J'entendais des eaux ruisseler quelque part. Elle a rapproché son visage du mien.

« Il ne faut pas que tu fasses attention à ce que j'ai dit tout à l'heure... Rien n'a changé... C'est exactement comme avant... »

Cette nuit d'été, ce ruissellement de cascade ou de fontaine, ces escaliers creusés à pic dans le grand mur et d'où l'on dominait les feuillages des arbres... Tout était calme, et j'avais la certitude que s'ouvraient devant nous des lignes de fuite vers l'avenir.

*

On ne retourne pas souvent dans les quartiers du sud. C'est une zone qui a fini par devenir un paysage intérieur, imaginaire, au point qu'on s'étonne que des noms comme Tombe-Issoire, Glacière, Montsouris, le château de la Reine Blanche, figurent dans la réalité, en toutes lettres, sur des plans de Paris. Je ne suis jamais revenu rue de l'Aude. Sauf dans mes rêves. Alors, je la revois à des saisons différentes. Des fenêtres de mon ancienne chambre, elle est recouverte de neige, mais si l'on y accède de l'avenue par les escaliers à pic, c'est toujours l'été.

Mais je suis souvent passé en voiture quai Henri-IV pour aller à la gare de Lyon. Et, chaque fois, je sentais un pincement au cœur et une sorte d'inquiétude. Un soir que j'avais pris un taxi à la sortie de la gare, j'ai dit au chauffeur de s'arrêter devant le 46bis en prétendant que j'attendais quelqu'un. Je regardais fixement la porte cochère. Je l'avais poussée à peu près à la même heure, un mois de juillet. Et nous étions aussi, ce soir-là, en juillet. J'essayais de compter le nombre des années. Au bout de quelque temps, le chauffeur m'a dit :

« Vous croyez vraiment que la personne viendra ? »

Je lui ai demandé de m'attendre un instant, et j'ai quitté le taxi. Quand je suis arrivé devant la porte cochère, j'ai remarqué à ma droite un digicode. Cela n'existait pas, en ce temps-là. J'ai appuyé de l'index, au hasard, sur quatre chiffres et la lettre D. La porte est restée close. Je suis remonté dans le taxi.

« Vous avez oublié le numéro du code, hein ? m'a dit le chauffeur. On attend toujours la personne ?

— Non. »

Quelquefois, dans mes rêves, je sais le numéro du code et je n'ai pas besoin de pousser la porte cochère. À peine ai-je appuyé de l'index sur la lettre D que la porte s'ouvre automatiquement et se referme derrière moi. Le grand couloir d'entrée est éclairé par la lumière du jour qui vient d'une verrière, tout au fond. Je me retrouve devant l'autre porte, celle de l'appartement du rez-de-chaussée, cette porte de bois massif et clair qu'une certaine Mme Dorme devait m'ouvrir, ce soir de juillet avec Dannie. J'attends un instant avant de sonner. Sur la porte, des taches de soleil. Je me sens léger, oui, débarrassé d'un remords, de je ne sais quelle culpabilité. Ce sera comme avant, ou plutôt il n'y aura jamais eu ni d'avant ni d'après dans nos vies, ce « quelque chose de grave », cette cassure, ce handicap, ce péché originel — j'essaie vainement de trouver les mots justes —, ce poids que nous traînions malgré notre jeunesse et notre insouciance. Je vais sonner, et le son sera aussi cristallin que le premier soir. Les deux battants de la porte s'ouvriront du même mouvement lent que la porte cochère et une femme blonde d'une cinquantaine d'années, aux traits réguliers et habillée de manière élégante, me dira :

« Dannie vous attend dans le salon. » Cette femme est-elle Mme Dorme ? Je me réveille chaque fois sur cette question, mais il n'y a jamais de réponse. Dans le dossier de Langlais, on

la cité et l'on donne à son sujet quelques renseignements sans importance. Aucune photo
d'elle... : « ... dite Mme Dorme, d'abord associée
de Paul Milani au "4" de la rue de Douai...
Directrice du Buffet 48... et de l'Étoile-Iéna...
Aurait acheté plusieurs chevaux de course il y a
quinze ans... Serait partie pour la Suisse à une
date indéterminée... » Une femme sans visage,
comme ce mort qu'ils ont porté dans une voiture garée devant l'immeuble. Il était environ
une heure du matin, selon la déposition du
concierge du 46bis. C'est lui-même qui a ouvert
la porte cochère pour les laisser passer.
Ils étaient quatre. Lui, le concierge, il ignorait
que l'homme était mort, l'un de ceux qui le sou-
tenaient lui a dit simplement que ce type avait
eu un malaise et qu'ils l'emmenaient à l'hôpital
Lariboisière. Pourquoi Lariboisière ? C'était
loin, à l'autre bout de Paris. En vérité, selon les
renseignements qu'avait rassemblés Langlais, on
avait reconduit le mort « à son domicile » pour
qu'il puisse y mourir officiellement de sa belle
mort, sans qu'on sache jamais qu'elle avait eu
lieu dans un appartement du rez-de-chaussée du
46bis quai Henri-IV. Le concierge y avait remarqué depuis quelques mois, à partir de
neuf heures du soir et pendant la nuit, de nombreuses allées et venues. On entendait souvent
de la musique, mais, ce soir-là, avait-il dit, il n'y
avait pas de bruit dans l'appartement. Tu devais
y être avec celui que l'on nomme « le mort »,

sans jamais citer son nom. Et pourtant, au bas d'une page, on devine que ce nom a été tapé à la machine et qu'il a été effacé ensuite. Deux caractères sont à peine visibles : un S et un V. Tu étais donc, cette nuit-là, dans l'appartement avec un inconnu, d'autres personnes — une assemblée « assez restreinte », indique le rapport — et cette Mme Dorme. Le concierge a entendu deux coups de feu, juste avant minuit. Au bout d'environ dix minutes, il a vu sortir de l'appartement deux hommes et deux femmes, puis « une jeune fille » dont il donne un signalement assez précis, parce qu'elle se rendait souvent dans l'appartement depuis plusieurs mois, qu'il lui avait parlé quelquefois et qu'elle prenait régulièrement du courrier qui lui était adressé au nom de « Mireille Sampierry ». C'était toi. Les quatre autres sont venus environ une heure après pour transporter cet homme sans nom et sans visage dans la voiture garée devant l'immeuble. L'une des personnes présentes à cette soirée — un certain Jean Terrail — a témoigné que c'était toi qui avais tiré, mais que l'arme appartenait à l'inconnu et qu'il t'en avait menacée de « manière brutale et obscène ». Il avait bu sans doute. Il n'est plus là pour le dire. C'est comme s'il n'avait jamais existé. On suppose que tu as réussi à lui arracher l'arme, que tu as tiré, ou bien que les coups « sont partis tout seuls » à cause d'un geste trop vif de ta part. Deux balles perdues ? Ils ont retrouvé les douilles dans une chambre de l'appartement au cours de leur enquête. Mais qui leur a ouvert la porte ? Mme Dorme ? Sur toi, pas grand-chose dans ce dossier. Tu n'es pas née à Casablanca, comme tu me l'avais dit un soir quand nous parlions d'Aghamouri et de certains habitués de l'Unic Hôtel qui avaient des « liens étroits » avec le Maroc. Tu es née, tout simplement, à Paris pendant la guerre, deux ans avant moi. Née de père inconnu et d'Andrée Lydia Roger, au 7, rue Narcisse-Diaz, seizième arrondissement. Clinique Mirabeau. Mais, quelque temps après la guerre, on signale que ta mère Andrée Lydia Roger est domiciliée au 16, rue Vitruve, dans le vingtième arrondissement. Pourquoi cette précision et pourquoi ce brusque passage du seizième arrondissement au quartier de Charonne ? Toi seule, peut-être, aurais pu me le dire. Il n'est pas fait mention de ton frère Pierre dont tu me parlais souvent. Ils savent que tu avais habité rue Blanche sous le nom de Mireille Sampierry, mais ils ne disent pas pourquoi tu utilisais ce nom. Aucune allusion à ta chambre de la Cité universitaire ni au pavillon des États-Unis. Ni à l'avenue Victor-Hugo. Pourtant, je t'y accompagnais souvent et je t'attendais derrière l'immeuble à double issue. Et tu revenais toujours avec une liasse de billets de banque, dont je me demandais qui te l'avait donnée, mais de cela ils ne se sont pas aperçus. Rien non plus concernant le petit appartement de l'avenue Félix-

Faure et La Barberie, la maison de campagne, à Feuilleuse. Ils savent que tu as pris une chambre à l'Unic Hôtel, selon un renseignement donné par « Davin », mais ils n'avaient pas l'air très pressés de t'interroger, sinon il suffisait de t'attendre dans le hall, ou bien d'un simple coup de téléphone de « Davin » pour les avertir que tu étais là. Ils ont dû très vite abandonner l'enquête, et, de toute manière, quand j'ai été convoqué par Langlais, toi, tu avais déjà « disparu ». C'est écrit sur une fiche. Disparue comme Mme Dorme, dont ils n'ont pas trouvé la trace en Suisse, à supposer qu'ils l'aient vraiment cherchée.

J'ignore s'ils ont bâclé leur enquête ou si les renseignements qu'ils gardent dans leurs archives sur des milliers et des milliers de personnes sont aussi incomplets, mais je t'avoue qu'ils m'ont déçu. Je croyais, jusque-là, qu'ils sondaient les reins et les cœurs, que leurs fichiers contenaient les moindres détails de nos vies, tous nos pauvres secrets, et que nous étions à la merci de leurs silences. Mais qu'est-ce qu'ils savent vraiment de nous deux, et de toi, à part ces balles perdues et ce mort fantôme ? Dans l'interrogatoire qu'ils m'ont fait signer sous la formule « persiste et signe », je ne leur dis presque rien de toi. Ni de moi. Je leur dis que nous nous sommes connus il y a très peu de temps grâce à un étudiant marocain de la Cité universitaire et que toi-même tu voulais t'inscrire à la faculté de Censier. Et que nous nous sommes vus pendant à peine trois mois dans le Quartier latin et celui de Montparnasse parmi les étudiants studieux et les vieux peintres aux cheveux bouclés et aux vestes de velours qui fréquentaient ces zones-là. Nous allions au cinéma. Et dans les librairies. J'ai même précisé que nous faisions de grandes promenades dans Paris et au bois de Boulogne. À mesure que je répondais aux questions dans ce bureau du quai de Gesvres, j'entendais le cliquetis de la machine à écrire. Langlais tapait lui-même, avec deux doigts. Oui, nous allions aussi dans les cafés du Boul'Mich et, comme nous n'avions pas beaucoup d'argent, il nous arrivait de prendre nos repas au restaurant de la Cité universitaire. Et puisqu'il avait posé la question : « Quels étaient vos loisirs ? » voulant, me disait-il, « cerner mieux nos personnalités », j'ai fini par lui donner d'autres détails : nous fréquentions la cinémathèque de la rue d'Ulm et nous étions sur le point de nous inscrire aux Jeunesses musicales de France. Quand il m'a posé des questions concernant Aghamouri et l'Unic Hôtel, j'ai senti que je me trouvais sur un terrain glissant. Nous avions rencontré Aghamouri à la cafétéria de la Cité universitaire. Vraiment, je le prenais pour un simple étudiant. D'ailleurs, j'étais venu à plusieurs reprises le chercher à Censier après ses cours. Non, je n'aurais jamais pu imaginer qu'il appartenait aux « services spéciaux marocains ». Mais, après tout, cela ne nous regardait pas. Et l'Unic Hôtel? Non, non, ce n'était pas Aghamouri qui nous avait entraînés là-bas. J'avais entendu dire qu'ils vous laissaient monter dans une chambre à l'Unic Hôtel, même si vous étiez mineur, et il me fallait encore attendre un an l'âge de la majorité. Voilà pourquoi nous prenions une chambre, de temps en temps, mon amie et moi. J'ai remarqué que Langlais n'a pas tapé cette réponse à la machine et que tous mes mensonges, apparemment, lui étaient indifférents.

« Alors, si je comprends bien, Ghali Aghamouri ne vous a jamais présenté, à votre amie et à vous, les dénommés Duwelz, Marciano, Chastagnier et Georges B. dit Rochard?

— Non... », lui ai-je dit.

Tout en frappant sur les touches, de ses deux index, il récitait la phrase à ma place : « Le dénommé Aghamouri Ghali ne m'a jamais présenté les nommés Duwelz, Marciano, Chastagnier et Rochard. Mon amie et moi, nous ne faisions que les croiser dans le hall de l'hôtel. » Puis il m'a souri et il a haussé les épaules. Peut-être pensait-il comme moi : Tous ces pauvres détails ne nous concernaient pas en profondeur. Ils ne compteraient bientôt plus dans nos vies. Il est resté pensif un long moment, les bras croisés derrière sa machine à écrire, le visage baissé, et j'ai cru qu'il m'avait oublié. Et, d'une voix douce, sans me regarder,

161

il a dit : « Savez-vous que votre amie a été incarcérée il y a deux ans à la Petite-Roquette ? » Puis il m'a souri, de nouveau. J'ai eu un pincement au cœur. « Ce n'était pas si grave… Elle y est restée huit mois… », et il m'a tendu une fiche que je m'efforçais de lire très vite, parce qu'il la tenait entre pouce et index et que je craignais qu'il ne me l'ôte brusquement de la vue. Les lignes, les mots, dansaient sous mes yeux : « … vol à l'étalage dans divers magasins de luxe… s'est fait prendre avenue Victor-Hugo en emportant un sac en crocodile… "J'entrais dans un magasin sans sac à main. À l'intérieur, j'en choisissais un et je repartais avec… même chose pour les manteaux…" »

Il ne m'a pas laissé le temps de tout lire et il a posé la fiche sur son bureau. Il semblait gêné de m'avoir montré un tel document… « Ce n'était pas si grave, a-t-il répété, de l'enfantillage… de la kleptomanie… Vous savez ce que l'on dit de la kleptomanie ? » — j'étais étonné que cet interrogatoire prenne brusquement l'allure d'une conversation ordinaire, presque amicale entre nous — « un manque d'affection… On vole ce que les autres ne vous ont jamais donné. Elle manquait d'affection ? » Il me fixait de ses gros yeux bleus, et j'avais le sentiment qu'il essayait de lire dans mes pensées et qu'il y parvenait.

« Évidemment, elle est mêlée maintenant à quelque chose de beaucoup plus grave… Ça s'est passé il y a trois mois... juste avant que vous la connaissiez... Il y a eu mort d'homme. »

Je crois que je suis devenu très pâle, puisque son regard bleu fixé sur moi exprimait maintenant une certaine inquiétude. Il avait l'air de m'épier.

« Bien sûr, on peut considérer cela comme un accident... deux balles perdues... »

D'un geste las, il a glissé une feuille vierge dans sa machine à écrire et m'a demandé : « Votre amie ne s'est jamais confiée à vous concernant une soirée qui a eu lieu en septembre dernier dans un appartement, 46bis, quai Henri-IV, à Paris ? »

J'ai répondu par la négative et, de nouveau, j'entendais le crépitement de la machine. Puis une autre question : « Votre amie vous a-t-elle expliqué pourquoi elle changeait toujours de nom ? » J'ignorais ce détail, mais si je l'avais su je n'aurais pas été étonné outre mesure. Moi aussi, j'avais changé de prénom et falsifié ma date de naissance pour me vieillir et me donner l'âge de la majorité. En tout cas, je ne la connaissais que sous le prénom de « Dannie ». Pendant qu'il tapait ma réponse, je lui ai épelé ce prénom, me rappelant la faute d'orthographe que j'avais faite lors de notre première rencontre.

« Vous a-t-elle donné signe de vie depuis qu'elle a disparu et avez-vous une idée où elle peut se trouver ? »

Cette question m'a causé une telle tristesse que je suis resté silencieux. Il a lui-même répondu à ma place, en tapant au fur et à mesure sur les touches de la machine, de ses deux index : « Mon amie ne m'a pas donné signe de vie depuis qu'elle a disparu, et je suppose qu'elle est partie à l'étranger. »

Il s'est interrompu :

« Elle ne vous a jamais parlé d'une certaine Mme Dorme?

— Non. »

Il a réfléchi un instant et a poursuivi à voix haute en continuant de frapper les touches de ses deux index :

« ... qu'elle est partie à l'étranger, sans doute en compagnie de la dénommée Méreux Hélène dite Mme Dorme. »

Il a poussé un soupir, comme s'il venait de se débarrasser d'une corvée. Il m'a tendu le feuillet.

« Vous signez là. »

Moi aussi, j'étais soulagé d'en finir.

« C'est une enquête de routine que l'on fait traîner depuis des mois », m'a-t-il dit, l'air de vouloir me rassurer. « On va certainement étouffer l'affaire... Le mort est soi-disant mort de mort naturelle à son domicile. J'espère qu'il n'y aura pas de suite pour vous. Mais on ne sait jamais... »

Je cherchais quelques mots aimables avant de prendre congé.

« Vous tapez les dépositions à la machine ? lui ai-je demandé. Il me semble que, dans le temps, tout était écrit à la main.

— Vous avez raison. Et la plupart des inspecteurs de l'époque avaient une très belle écriture. Et ils rédigeaient leurs rapports dans un excellent français. »

Il m'a guidé le long du couloir, et nous avons descendu l'escalier ensemble. Avant de nous quitter, dans l'embrasure de la porte qui ouvrait sur le quai, il m'a dit :

« Vous aussi, d'après ce que j'ai cru comprendre, vous avez commencé à écrire. À la main ?

— Oui. À la main. »

*

On a détruit la Petite-Roquette. À sa place s'étend un square. Vers vingt ans, j'allais souvent rendre visite à un certain Adolfo Kaminsky, un photographe qui habitait l'un des grands immeubles, le long de la rue, face à la prison. Ses fenêtres surplombaient le bâtiment en forme d'hexagone avec ses six tours. C'était l'époque où l'on t'avait enfermée dans cet endroit, mais je ne le savais pas. L'autre nuit, j'attendais devant le porche de la prison, en face de chez Kaminsky, et on m'a laissé entrer. On m'a conduit au parloir. On m'a fait asseoir derrière un écran vitré, et toi tu étais assise de l'autre côté. Je te parlais et tu avais l'air de me comprendre, mais tu avais beau bouger les lèvres, coller ton front à la vitre, je n'entendais pas ta voix. Je te posais des questions : « Qui était Mme Dorme ? Le mort fantôme du quai Henri-IV ? Et la personne à qui tu rendais souvent visite dans l'immeuble à double issue pendant que je t'attendais ? » Au mouvement de tes lèvres, je voyais bien que tu essayais de me répondre, mais la vitre entre nous étouffait ta voix. Un silence d'aquarium.

Je me souviens que nous nous promenions souvent au bois de Boulogne. C'était à la fin de l'après-midi, les jours où je devais l'attendre à l'arrière de l'immeuble de l'avenue Victor-Hugo. Je ne saurai jamais pourquoi elle sortait par là et non par l'entrée principale, comme si elle craignait de croiser quelqu'un à cette heure-là. Nous suivions l'avenue jusqu'à la Muette. À mesure que nous marchions sur le chemin des lacs, je me sentais délivré d'un poids. Elle aussi, puisqu'elle me disait que ce serait bien si nous habitions une chambre dans ces blocs d'immeubles au bord du bois. Une zone neutre, coupée de tout, parmi de rares voisins dont nous ne comprendrions même pas la langue, de sorte que nous n'aurions pas besoin de leur parler ni de répondre à leurs questions. Nous n'aurions plus de comptes à rendre à personne. Nous finirions par oublier les trous noirs dans Paris : l'Unic Hôtel, la Petite-Roquette, le rez-de-chaussée du quai avec son mort, tous ces mauvais lieux qui nous donnaient à l'un et à l'autre cette démarche incertaine.

Une fin d'après-midi d'octobre, il faisait déjà nuit et il flottait autour de nous une odeur de feuilles mortes, de terre mouillée et d'écurie, nous marchions le long du jardin d'acclimatation et nous étions arrivés au bord de la mare Saint-James. Nous nous sommes assis sur un banc. J'étais soucieux à cause de mon manuscrit oublié dans la maison de campagne. Elle m'avait dit que nous ne pouvions plus y retourner. Ce serait dangereux pour nous. Elle ne m'avait pas vraiment précisé la nature de ce danger. Elle avait gardé les clés de la maison de campagne, comme celle de l'appartement de l'avenue Félix-Faure, mais elle aurait dû les rendre depuis longtemps. Je la soupçonnais même d'en avoir fait des doubles à l'insu des propriétaires. Elle craignait sans doute qu'on ne nous surprenne dans la maison, comme des voleurs.

« Ne te casse pas la tête, Jean. On finira bien par retrouver ton manuscrit. » Et elle a ajouté que je me donnais vraiment beaucoup de mal pour rien. Il suffisait de fouiller dans les boîtes des bouquinistes et de choisir l'un de ces vieux romans dont les rares lecteurs étaient morts depuis longtemps et dont les vivants ne soupçonnaient plus l'existence. Et de le recopier. À la main. Et de dire que l'on en était l'auteur.

« Qu'est-ce que tu penses de mon idée, Jean ? »

Je ne savais pas quoi lui répondre. Je me rappelais la première phrase de mon manuscrit : « Il faut bien que je revienne à une période de ma jeunesse où l'on m'appelait le faux chevalier de Warwick... » Je me suis dit qu'à l'aide de mon carnet noir il m'était possible de réécrire et de corriger ces pages perdues. Au fond, elle avait raison. J'aurais presque l'impression de les recopier. À la main. C'est ce que je fais aujourd'hui.

Elle s'était serrée contre moi et elle a répété à voix basse : « Ne te casse pas la tête, Jean... »

Quelque temps plus tard, un matin, j'ai trouvé une enveloppe que l'on avait glissée sous la porte de ma chambre :

Jean

Je pars et cette fois il est probable que nous ne nous reverrons pas d'ici bien longtemps. Je ne te dis pas où je vais, parce que je ne le sais pas moi-même. Tu ne me trouveras pas là où je vais. Je serai très loin — et, en tout cas, pas à Paris. Si je pars, c'est que je ne voulais pas t'attirer d'ennuis...

P.-S. : Je t'ai fait un petit mensonge qui me pèse. Je n'ai pas 21 ans comme je te l'avais dit. J'en ai 24. Tu vois, je serai bientôt vieille.

Elle avait recopié cette lettre qui figurait dans un vieux roman que nous avions acheté un après-midi sur les quais. Je l'entends encore me dire : « ... Ne te casse pas la tête, Jean... » Le bois, les avenues vides, la masse sombre des immeubles, une fenêtre éclairée qui vous donne l'impression d'avoir oublié d'éteindre la lumière dans une autre vie, ou bien que quelqu'un vous attend encore... Tu dois te cacher dans ces quartiers-là. Sous quel nom ? Je finirai bien par trouver la rue. Mais, chaque jour, le temps presse et, chaque jour, je me dis que ce sera pour une autre fois.

DU MÊME AUTEUR

Aux Éditions Gallimard

LA PLACE DE L'ÉTOILE, *roman.* Nouvelle édition revue et corrigée en 1995 (« Folio », *n° 698*).

LA RONDE DE NUIT, *roman* (« Folio », *n° 835*).

LES BOULEVARDS DE CEINTURE, *roman* (« Folio », *n° 1033*).

VILLA TRISTE, *roman* (« Folio », *n° 953*).

EMMANUEL BERL, INTERROGATOIRE *suivi de* IL FAIT BEAU ALLONS AU CIMETIÈRE. *Interview, préface et postface de Patrick Modiano* (« Témoins »).

LIVRET DE FAMILLE (« Folio », *n° 1293*).

RUE DES BOUTIQUES OBSCURES, *roman* (« Folio », *n° 1358*).

UNE JEUNESSE, *roman* (« Folio », *n° 1629*; « Folio Plus », *n° 5*, avec notes et dossier par Marie-Anne Macé).

DE SI BRAVES GARÇONS (« Folio », *n° 1811*).

QUARTIER PERDU, *roman* (« Folio », *n° 1942*).

DIMANCHES D'AOÛT, *roman* (« Folio », *n° 2042*).

UNE AVENTURE DE CHOURA, *illustrations de Dominique Zehrfuss* (« Albums Jeunesse »).

UNE FIANCÉE POUR CHOURA, *illustrations de Dominique Zehrfuss* (« Albums Jeunesse »).

VESTIAIRE DE L'ENFANCE, *roman* (« Folio », *n° 2253*).

VOYAGE DE NOCES, *roman* (« Folio », *n° 2330*).

UN CIRQUE PASSE, *roman* (« Folio », *n° 2628*).

DU PLUS LOIN DE L'OUBLI, *roman* (« Folio », *n° 3005*).

DORA BRUDER (« Folio », *n° 3181*; « La Bibliothèque Gallimard », *n° 144*).

DES INCONNUES (« Folio », *n° 3408*).

LA PETITE BIJOU, *roman* (« Folio », *n° 3766*).

ACCIDENT NOCTURNE, *roman* (« Folio », *n° 4184*).

UN PEDIGREE (« Folio », *n° 4377*).

TROIS NOUVELLES CONTEMPORAINES, *avec Marie NDiaye et Alain Spiess*, lecture accompagnée par Françoise Spiess (« La Bibliothèque Gallimard », *n° 174*).

DANS LE CAFÉ DE LA JEUNESSE PERDUE, *roman* (« Folio », *n° 4834*).

L'HORIZON, *roman* (« Folio », *n° 5327*).

L'HERBE DES NUITS, *roman* (« Folio », *n° 5775*).

Dans la collection « Quarto »

ROMANS

En collaboration avec Louis Malle

LACOMBE LUCIEN, *scénario* (« Folioplus classiques », *n° 147*, dossier par Olivier Rocheteau et lecture d'image par Olivier Tomasini).

En collaboration avec Sempé

CATHERINE CERTITUDE. *Illustrations de Sempé* (« Folio », *n° 4298* ; « Folio Junior », *n° 600*).

Dans la collection « Écoutez lire »

LA PETITE BIJOU (3 CD).

DORA BRUDER (2 CD).

UN PEDIGREE (2 CD).

L'HERBE DES NUITS.

Aux Éditions P.O.L

MEMORY LANE, en collaboration avec Pierre Le-Tan.

POUPÉE BLONDE, en collaboration avec Pierre Le-Tan.

Aux Éditions du Seuil

REMISE DE PEINE.

FLEURS DE RUINE.

CHIEN DE PRINTEMPS.

Aux Éditions Hoëbeke

PARIS TENDRESSE, *photographies de Brassaï.*

Aux Éditions Albin Michel

ELLE S'APPELAIT FRANÇOISE..., en collaboration avec Catherine Deneuve.

Aux Éditions du Mercure de France

ÉPHÉMÉRIDE (« Le Petit Mercure »).

Aux Éditions de L'Acacia

DIEU PREND-IL SOIN DES BŒUFS? en collaboration avec Gérard Garouste.

Aux Éditions de L'Olivier

28 PARADIS, en collaboration avec Dominique Zehrfuss.

Composition : Cmb graphic
Impression Novoprint
à Barcelone, le 17 août 2015
Dépôt légal : août 2015
1er dépôt légal dans la collection : avril 2014

ISBN 978-2-07-045696-3./Imprimé en Espagne.

294126